어제보다 나은

오늘을 살고 싶었어요.

어제 보다 나은 오늘을 살기 위해

오늘 하루도 무던히 애쓴   님께 드립니다.

1

어제보다 나은
오늘을 살고 싶었어요.

해피제이 지음 (신정희)

PROLOGUE

어른이 되기를 갈망했는데,

막상 어른이 되고 나니 낯선 일들에 부딪히며

참 많이도 울었고 속상했습니다.

그럴 때 마다 '내 인생 참 뭣 같다...' 하며

욕을 한 바가지 했습니다.

회사 생활을 하면서도

늘 순탄치 않았던 거 같습니다.

남들은 평범하게 회사 생활하는데 나한테만큼은

늘 문제가 생기는 게 불만이었기도 했고요.

희귀병이나 우울증 공황장애를 마주하면서도

세상이 해도 해도 너무 하다는 생각도 했습니다.

그저 평범한 하루.

그저 여유 있고 안정적인 삶을 꿈꾸었던 것뿐인데,

거 참.

쉽지 않다고 생각 했습니다.

생각만큼 사는 게 쉽지 않다고 생각이 들면서 부모님은

어떻게 살아 내셨을까?

하고 고뇌의 시간도 있었습니다.

그토록 왜 이겨내려고만 했는지...

힘들면 힘들다고 말도 해보고, 억울하면 억울하다고

말 좀 해볼것을...

왜 꾹꾹 눌러 담았는지 지난 모습들에 후회도 됩니다.

내가 아닌 타인의 시선만을 의식한 제가 부끄럽기까지 합니다.

처음 정신건강의학과에 입원했을 때 지인들의 반응.

그리고 제 자신의 마음가짐을 잊지 못합니다.

편견으로 가득 메워져서 바라보던 조직문화 그리고 지인의 눈빛들.

직접 경험해 보니 제가 생각 하고 있는 것들이

특별한 것이 아닌 당연시되어야 한다는 것임을 알게 되었습니다.

또한, 저의 이야기가 그 누군가에게 위로가 될 수 있다는 것도요.

저는 이 책이 희망을 잃고 방황하는 분들에게 공감과 위로를 전하고,

실패를 통해서도 얼마든지 성장하고 성공할 수 있다는 이야기로

전해지기를 희망합니다.

또한, 회사 생활에 지쳐 나의 처지를 비관하는 분들에게

제 지난 시간들이 진심으로 전해지기를 희망합니다.

절대 혼자가 아님을.

그리고 무엇이든 해낼 수 있는 막강한 에너지를 가진 '나'임을

인지하고 나의 마음행복을 찾고

시도하고 실천하는 힘을 얻으셨으면 좋겠습니다.

감사합니다.

해피제이 (=신정희)

여러분은 존재만으로도

귀하고 소중합니다.

시도하시고, 실천하신다면

무엇이든 해낼 수 있다고

확신합니다.

목 차

02 아픔을 이겨 내기 위해

03 잘 살고 싶은데

04 다시 반복됩니다.

05 이렇게 어른이 되는 건가 봐요.

06 어제보다 나은 오늘

1장

실패라고 느끼는 순간 들.

고난이 있을 때마다

그것이 참된 인간이 되어 가는 과정임을 기억해야 한다. [괴테]

[운이 없다고 느껴 지기도 합니다.]

'처음' 혹은 ' 시작' 이라는 단어는 설리이기도 하지만,

결과를 알 수 없기에 두렵기도 해요.

두려움이라는 느낌을 받을 때 마다

'처음' 혹은 '시작'에 주춤 해지기도 하고요.

어쩌면 지난 시간 경험했던 실패의 순간때문에,

두려움이라는 감정이 생겨서 주춤하게 되는 건

아닐까 싶기도 해요.

중, 고등학교를 지나오면서 한가지만 바라보고 달렸어요.

제가 바라보고 달렸던 건 '학교 1' 드라마 같이

청소년 실상을 가감 없이 표현해 내는 연출자가 되는 거였어요.

1,999 년 그러니까.

제가 16 살이었던 거 같아요.

[학교 1] 드라마는 반드시 본 방 사수를 하기 일쑤였고,

재 방도 놓치지 않고 보고, 또 보고를 했던 거 같아요.

[학교 1] 드라마를 시청하기 전까지는

그때 그때 마다 달라지는 꿈을 보유하고 있었답니다.

중학교 3 학년.

[학교 1] 드라마를 통해

'아! 이거 해보고 싶다' 하는 꿈을 꾸게 되었어요.

처음이었어요. 설레임 가득한 꿈을 꾼 것!

신선한 충격이었어요.

<u>일진. 왕따. 낙태, 촌지 등</u>을 적나라하게 표현한 드라마의 내용도.

처음으로 꿈이라는 목표를 세우게 된 나의 모습을

느끼는 것도 말이죠.

14

그 당시.

여느 드라마에서도 느낄 수 없었던 '진정성', '극사실적'

대사와 영상이었어요.

생각해 보건대,

25년이 지난 2023년 흥행했던 '더 글로리' 급의 드라마가

아니었나 싶어요.

연출이 누구인지, 작가가 누구인지 엄청 찾아봤던 거 같아요.

지금은 초록창이 대세이지만, 그 당시엔 다음이 대세였 던지라...

뭐, 물론.

지금 만큼 정보를 많이 주던 때도 아니긴 했어요.

[학교 1]은 제 마음을 알아주지 않고, 금새도 종영했어요.

[학교 2]를 기다린 간절함만큼, 제 꿈도 더욱이 커져만 갔어요.

담임 선생님에게 묻기도 했던 거 같아요.

연출자가 되려면 어떻게 해야 하는지?

지금은 전공과 무관한 직업을 갖는 게 당연한 시대이지만,

그 당시엔 원하는 것을 이루기 위해선 무조건 전공이수가 필수라고,

저는 학교에서 가스라이팅 당했던 분위기였던지라....

연출자 = 신문방송학과

공식이던 시절이었어요.

거기에 조금 더 저의 간절함을 보태서 꿈을 키웠어요.

대학교 입학 후에 런던으로 교환학생을 지원하고,

학사 학위 이수는 런던에서.

석사 학위 이수를 준비하며 BBC 방송국 인턴으로 취업.

실무 경험을 익히고(5 년)

석사 학위 이수 후,

입국해서 공영방송국에서 제 2 의 [학교] 드라마를

제작하는 제작자가 되어 보자!

밤새 촬영한 후, 여의도 사무실에서 편집 작업 도중

한강을 바라보며 새벽녘을 커피와 함께 맞이하는 구체화된 꿈.

제 꿈의 포인트는 한강을 바라보며, 새벽녘 커피를 마시는

여유로움이었답니다.

왜 그런 거 있잖아요.

행복한 그 순간을 위해 지금 힘들어도 참아야 하고,

지금의 이 고통이 나를 더 오래 웃게 할 것이라는

인생 선배들의 긍정 확언스러운 띵언!

(너무 구시대적인 말투 인가요?)

현실에서 매우 여유로움이 없다는 반증이기도 하죠.

처음 맞이하는 내 꿈을 이루고자 조급한 마음이었으니까요.

다른 꿈 따위 더 생각할 겨를 없이.

오로지 한 길만 바라보고, 학창시절을 보냈던 거 같아요.

이쯤 되면, 결론은 예상이 되시죠?

여러분의 기대에 부흥해서 제 꿈은 꿈으로 끝났습니다.

운이 없었어요.

꿈을 찾아서 신문방송학과에 입학했고,

교환학생 대신 어학연수를 선택하게 되었는데,

영화나 드라마에서 나올 법한 일이 일어나더라고요.

집. 안. 사. 정.

조금 더 자세히 풀어보자면,

어학연수를 가게 되었는데,

부모님이 도움을 주실 수 있는 상황이 1도 안되는

게다가 스스로 생계유지를 한다고 한들

남아 있을 수 없는 상황이었어요.

그 즈음 아빠가 아파트 재건축관련 한 일을 하고 계셨는데,

배신자들이 등장하면서 K 장녀가 소환될 수밖에 없던....

(부모님 곁에서 조력자가 되어야 만했습니다.)

빼박 이라고 하죠.

제가 있는다 한들, 크게 달라 질건 없었던 거 같긴 한 대...

오로지,

정말 하나의 목표만 가지고 달렸는데,

그 모든 것들을 내려 두고 포기해야 하는 상황.

머리는 알겠는데.......

마음은 용납되지 않는 상황이었어요.

혼란스러웠던 거 같아요.

'꿈을 다시 꾸어야 하는 건가?'

'다시 공부를 해야 하는 건가?'

'어디서부터 다시 시작해야 하는 거지?'

무엇을 먼저 해야 할지도.

모르는 시간들...이었어요.

참... 운이 없었어요.

그런데 '운'의 사전적 의미를 아시나요?

운(運)의 사전적 의미.

1. 이미 정하 여져 있어 인간의 힘으로는 어쩔 수 없는 천운과 기수

※천운(天運): 하늘이 정한 운명

※기수(基數): 수를 나타내는 데 기초가 되는 수

2. 어떤 일이 잘 이루어지는 운수.

이런 사전적 의미를 알고 난다면, 우리가 입버릇 처럼 말하는

이 문장들은 수정이 될 필요가 있다고 생각해요.

20

왜냐면, 우리의 삶은 지금 현재로는 어쩔 수 없는 거 같아 보이지만

사실 그 어쩔 수 없는 거 같은 그 상황이 지나면

천운을 가져가주더라고요.

이유 없는 상황은 없더라고요.

"난, 참 운이 없어"

"난, 참 운이 지지리도 없어"

"난, 참 운빨이 항상 맞지 않아"

이 문장들은

"난, 조금 더 준비할 시간인가보다"

"난, 더 큰 그릇이 되려 나 보다"

"난, 아직 때가 아닌가 보다"

이 정도로 표현해야 되었던 거였어요.

모든 이야기는 내가 제일 먼저 듣게 되니까,

상대에게 이야기를 한다고 한들.

그 이야기를 제일 먼저 듣는 나 자신에게 셀프 라이팅을 하면서

누군가를 원망해 보기도 하고, 감정에 빠져 있게 되고,

그 감정 동굴에 빠져 버리면,

다시금 그 어떤 액션을 취함에 있어 자유롭지 못하게

된다는 것을.

참.... 너무도 늦게 깨 달아 버렸어요.

운이 없다고 느껴질 때가 있죠.

<u>그 상황에 낯설게 서 있는 내 마음을 먼저 알아주세요.</u>

그리고 내가 원하는 것이 무언인지 알아주고,

내 운이 아닌 그 무언가를 위해

노력했던 시간과 노력을 알아주시고, 수고했다고 말해 주고,

그 시간과 노력에 대한 보상을 받을 수

있도록 원하는 것을 실행해 주세요.

그 원하는 것은 새로운 목표를 세우는 것이 아니라,

내가 좋아하는 일을 하면서 상처받은 내 마음이

회복되도록 하는 것입니다.

새로운 목표는 회복한 후에 세워도 늦지 않아요.

너덜너덜해진 내 마음으로 목표를 세운다 한들

할 의욕도 없잖아요.

지난 시간 오로지 한 길 만을 바라보고,

달려왔는데....

그래서 힘들어도 참아냈는데,

어제보다 나은 오늘을 위해

오로지 그 목표 하나만을 바라보고 왔던 내 시간들....

다그치며 무던히 애썼던 그 시간을

함께 해준 '내 마음' 님 에게

늦었지만 감사 인사를 드립니다.

[계획 대로 되지 않는 순간도 있습니다.]

대학교 입학 후에 런던으로 교환학생을 지원하고,

학사 학위 이수는 런던에서.

석사 학위 이수를 준비하며 BBC 방송국 인턴으로 취업.

실무 경험을 익히고(5 년)

석사 학위 이수 후,

입국해서 공영방송국에서 제 2 의 [학교] 드라마를

제작하는 제작자가 되어 보자!

밤새 촬영한 후, 여의도 사무실에서 편집 작업 도중

한강을 바라보며 새벽녘을 커피와 함께 맞이하는 구체화된 꿈.

오로지 이 한 가지만 바라보고 계획해 왔던

시간이 허망하게 되어 버리던 그 날.

처음으로 '현타'라는 걸 느끼게 되었어요.

'현타' ,'뇌 정지', '멘붕' 등으로 표현되는 그 것을 어쩌면

살면서 처음 느껴 봤던 거 같아요.

그 당시.

저를 더욱 슬프게 했던 건 어른이었다는 거였어요.

무엇을(what)? 어떻게(how)? 왜 (why)?

해야 할 지 몰랐던 거 같아요.

우리는 중, 고등학교 시절을 지내오면서

"열심히 공부해야 해."

"열심히 일해야 해."

"열심히 준비해야 해."

이런 말을 들으며 지내 왔기 때문에,

일단, 열심히 달려왔는데....

정말 계획을 향해 열심히 달려왔는데....

그 열심히의 결과물이 내가 예상했던 것이 아닐 때,

혹은 결과로 도달되기까지 과정의 변수가 생겼을 땐,

어떻게 해야 하는지를 배운 적이 없었어요.

열심히 공부하면 좋은 성적을 받았고,

열심히 봉사 활동을 하고, 내가 할 수 있는 일을 하면

그에 합당한 결과를 받아왔고,

그래서 열심히 목표를 위해 준비하고 달려갔거든요.

이번엔 달랐어요.

열심히에 대한 결과물을 받기도 전에 열심히 해 볼 수도 없는 상황.

계획대로 되지 않았을 때 어떻게 해야 하는 건지?

왜 차선책은 세워 두라고 배우지 못했는지...?

이런 생각도 시간이 무척이나 흐른 후에나 할 수 있었어요.

*현타 - 현실 자각 타임의 줄임말

*멘붕 - 멘탈 붕괴의 줄임말

*뇌 정지 - 사람의 인체에서 생각 및 사고를 담당하는 부분은

뇌 이기 때문에 갑자기 생각이 멈추거나 사고가 돌아가지

않을 때 뇌에 정지가 왔다고 표현하면서 뇌정지라는 말이

사용되기 시작했어요.

이러한 상태이니까.

계획을 향해 몇 년을 달려왔는데,

사막 한 가운데 홀로 서 있는 느낌 이랄까요?

어디로 가야 할지. 뭘 해야 할지. 모르겠는 상황.

그 핑계로?

술을 부어라 마셔라 엄청 했던 거 같아요.

내 마음을 알아주는 건 오직 너 뿐이구나!

28

"술아. 고맙다... 사랑한다" 고백도 참 많이 했어요.

중, 고등학생 때 누구나 지난다는 사춘기 시절도

없이 지나왔는데...

당차게 20 대 초반에 사춘기를 맞이했어요.

반항심, 객기, 삐뚤어짐의 끝판왕을 보여 줬던 거 같아요.

술도 엄청 마시고,

엄마. 아빠한테 막말도 엄청 하고...

원 없이 놀아보는 것도 처음이었고,

내 맘대로 시간을 쓰는 것도 처음이었어요. 좋더라고요.

'내일 죽어도 여한이 없겠다.

이렇게 사는 것도 나쁘지 않구나.'

지금에 와서 생각해 보면 아쉬움이 남아요.

조금 더 계획적으로 놀 것을... 하고요.

의무 교육에서 노는 방법에 대해 앞서

열심히 공부하라는 것처럼 주입식 가스라이팅이라도 해 줬더라면,

노는 시간이

더 의미 있게 쓰여 질 수도 있었겠다고 생각이 들었어요.

계획적으로 놀지 못하게 하려고 안 알려 준 걸까요?

일부러 안 알려 주는 건 아니겠죠? 그쵸?

6 개월 ~ 1 년 정도 정말 알바만 했어요.

술을 마시기 위한 알바였다고 해도 과언이 아니었죠.

친구들 만나고 술 마시며 그렇게 보냈습니다.

아무것도 하기 싫었어요.

노느게 그토록 재미 있는 일이라는 걸... 느껴 버렸으니.

어쩌면 더 하기 싫었을지도 몰라요.

뽀로로 만화 주제곡에서

"노는 게 제일 좋아~ 친구들 모여라~"

1,000% 공감합니다. 괜히 뽀통령이 아니었어요.

그렇게 놀 던 그 어느 날 갑자기.

'나 뭐 해먹고 살지?' 생각이 들더라고요.

불안감에 휩싸여 지낸 시간들의 경험 때문인지

안정적인 일을 하고 싶었고,

안정적인 만남을 갖고 싶었던 거 같아요.

다시는 내 인생도. 내 마음도.

다치게 하고 싶지 않은 방어태세가 돌입 되었어요.

그 안.정.적.인 것을 찾아

부모님의 가정 경제에 도움이 되는 취업을 선택하게 되었어요.

그 때가 22 살 때였던 거 같아요.

어마어마한 장기 계획을 갖고 있던 저에게

반년짜리 취업 계획은 전혀 어려운 일이 아니었나 봐요.

앞선 상황들 덕에 모든 상황에는 차선책을 염두 해 두자는

뼈저린 경험을 했기에 플랜 B 를 만들며 취업 준비를 했었어요.

물론, 감사하게도 바로 취업을 하게 되었습니다.

어제보다 나은 오늘.

오늘보다 나은 내일을.

살기 위해 목표를 다시 정했던 것 같아요.

명예를 위한 목표. 경제적인 것을 위한 목표.

각자의 포인트가 다를 수 있어요.

제 포인트는 오직 안정적인 것이었습니다.

목표를 가지고 있다는 건 너무 좋지만,

목표를 향해 가면서 상당한 변수들을 맞이하게 되더라고요.

목표에 시작하기도 전에 목표를 수정해야 할 수도 있고,

32

생각했던 것만큼의 만족도를 느낄 수 없을 수도 있어요.

목표를 설정하면서 차선책을 함께 그려 보는 건 어떨까요?

대책을 마련해 둔다는 건

나의 마음을 지켜주는 조력자가 되더라고요.

실패하면 어때? 다른 거 하면 되지.

혹은,

실패하면 어때? 다른 방법으로 다시 하면 되지.

하는 이러한 유동적인 마음가짐이 생깁니다.

그래야 심적 스트레스를 줄일 수 있더라고요.

한 가지만 고집하는 거... 정말 고집이잖아요.

어제보다 나은 오늘을 잘 살기 위한 방법은

그 누구보다 내가 더 잘 알고 있어요.

그것을 시도하고 실천하는 일.

그것이

어제보다 나은 오늘을 살기 위한 첫.걸.음이 될 겁니다.

"청개구리구나!"

이런 말 들어 본 적이 있으시나요?

보통, 반대로 행동을 할 때

혹은

말을 잘 듣지 않을 때 이렇게 표현해요.

그런데 왜 그렇게 행동하는지에 대해서

생각해 보신적 있으세요?

이유 없는 결과는 없더라고요.

"그냥~"

마음이 삐뚤어졌다! 로 해석하시면 될 것 같아요.

그래서 그 삐 뚫어진 마음을 표현하는 중인 걸로요.

제가 이 시기에 엄청나게 듣던 말 이예요.

표현을 했는데도 왜 마음이 편치 않았을까요?

[도피처를 찾아 헤 매이기도 합니다.]

한 가지만 바라보고 달리다가 어느 순간.

그 모든 것들을 할 수 없는 시기가 와버리고 나니까

현실 부정을 하게 되더라고요.

차선책을 준비하지 못한 자의 고통이라고 표현 할래요...

어쩌면 그 현실 부정의 시간을 친구들,

술과 함께 하면서 그게 마치 기쁨인 거 마냥

가면 놀이하며 지냈을지도 모르겠어요.

물론, 그 뒤에 더욱 짙어 지는 외로움과 괴로움은

제 몫이었고요.

상실감이라는 감정을 처음 느껴본 저에겐

대처 방법이 딱히 생각 나진 않았어요.

다만, 그 상황을 만든 사람들을 원망했던 거 같아요.

'왜? 나한테만...?' '왜 이래?'

부모님을 원망했던 게 제일 크기도 했어요.

겉으론 괜찮다고 말하면서도

술 먹고 한껏 취해서 울고불고 하며,

부모님께 서운하다는 표현을 많이도 했다고 하더라고요.

(사실, 기억이 아직도 안 납니다. 안하고 싶은지도 몰라요.)

꿈을 포기하고, 공부를 포기하고,

취업을 선택하는 것이 맞는 것인지 부터도 아리송 했던 거 같아요.

알 수 없는 미래에 대한 불안감 때문이었겠죠?

결국, 도피처를 찾게 되더라고요.

안정적인 도피처...

안정적인 그 무언가를 갈망하면서 취업이라는 목표를 갖게 되었어요.

제가 할 수 있는 차선책이자 **첫번째 도피처**가 되었어요.

무던히 애썼던 거 같아요.

알바를 하면서 알게 되었던 지인분들을 통해

정규직 채용 소식을 접하게 되었고, 입사를 했습니다.

대학 졸업도 전 인지라, 너무 좋았던 거 같아요.

방황하던 시기.

정말 술만 먹었던 그 시간들의 끝에.

"나도 무언가 다시 시작할 수 있구나!"

라는 생각을 하게끔 만들어 주었거든요.

물론, 그 사유가 온전히 나를 위한 것이 아니었고,

집안 사정상 어쩔 수 없는 계기였을 지라도 말이죠.

첫 출근의 기억이 아직도 생생해요.

그 무엇이든지 간에 '처음'이라는 단어에 대한 설렘.

그리고 막연함 두려움이 주는 감정은

살아있는 느낌을 갖게 해주기에 더 없이 즐기게 되는 거 같아요.

어쩌면 지금 이 순간.

처음 책을 출간함에 있어서 살아 있다는 느낌을 갖게 해주고 있는

'처음의 시간'을 즐기고 있을지도 모르겠어요.

(생각해 보니까 여러 번 꿈이 바뀌던 어린이 시절.

'작가' 꿈도 꾸었더라고요.)

입사 후,

조직이라는 곳에서 만나는 사람들은 실로 새로웠고,

다양했으며, 새로운 삶의 모습을 느끼게 해주었답니다.

매일 매일이 신선하게 느껴졌던 거 같아요.

물론, 어려움도 있었고, 마음 아픈 순간도 공존 했지만요.

그 어려운 순간에 입사를 하게 된 것도 좋은데,

사람 만나는 걸 좋아하는 저 로서는

회사 사람들이 하나 같이 천사로 보였어요.

더 오래 회사를 다닌 선배들이

밥도 사주고, 술도 사주고, 이뻐 해 주는 거 같았거든요.

이렇게 사는 것도 나쁘지 않겠다.

하는 생각을 하게 해주었으니 너무 감사한 사람들이죠.

학교 다니고 있는 것도 배려해주고,

전 날 과음으로 몸은 괜찮은 지 안부도 물어주는

선배들과

직장생활이 어렵지 않은 지 물어 봐주는 동기들까지.

그야말로 <u>레전드 급의 최고의 직장임</u>이 틀림없었어요.

그 중 유독 저를 이뻐해 주는 선배가 나타났어요.

사사로운 대화들을 참 많이도 했던 거 같아요.

힘들 때 내 마음을 알아주고,

이야기를 들어주는 사람을 '귀인' 이라고 하잖아요.

저에게 '귀인'이 나타났어요.

이 사람은 "진짜 어른이구나" 하는 생각.

"멋진 사람이구나"

하는 머릿속 생각이 마음에 안착했어요.

"참 괜찮은 사람이구나!"

"참 괜찮은 사람이구나!"

"참 괜찮은 사람이구나!"

보면 볼 수록 안착된 마음의 크기가 기하급수적으로

커지더라고요.

그러더니 얼마 되지 않아서

"헤어지기 싫다!"

"오래 함께 있고 싶다."

라는 생각들이 생기고,

마음에 안착된 크기가 MAX 상태.

머릿속 생각도 MAX 상태.

고로 실천이 되면서, 두번째 도피처를 만들게 되었어요.

이 사람이라면 [결혼] 이라는 것도 나쁘지 않겠다.

유학을 포기하고 목표가 무너지기 전까지는 결혼을

생각해 본적이 없었어요.

으레 친구들에게도

'제일 늦게 결혼할 거 같아' 라는 이야기를 듣기 일쑤였어요.

그랬던 제가 결혼 소식을 전한 건 친구들에겐

매우 충격적인 소식이기도 했고요.

그만큼 제 방황이 그 당시엔 힘들고 어려웠던 시기였 던지라

안정감 있는 삶을 마냥 갈망했을지도 몰라요.

어제 보다 나은 오늘을 빨리 찾고 싶었거든요.

막연함으로 살아 내는 것이 나쁜 것은 아니지만,

다신, 겪고 싶지 않았어요.

결국, 그 선택은 부모님에게 환영 받지 못했어요.

소개해 주기로 했던 날 집으로 데려갔는데

문.전.박.대.

엄마는 펑펑 울고, 아빠는 조용히 다음에 다시 날 잡자고

어르고 달랬어요.

"아니 내가 결혼하겠다는데!

왜 이것도 못하게 하는데!"

며칠을 말도 안하고 지냈던 거 같아요.

그러다가 아빠를 먼저 설득하고,

저에게 설득 당한 아빠와 함께 엄마를 설득했어요.

자식 이기는 부모 없다고 하잖아요.

결국 저를 이겨내지 못했습니다.

부모님도 많은 고민을 하셨을 거라 생각해요.

집안 사정이 좋지 않아서 꿈을 포기했고,

방황을 하게 된 것이 못내 마음이 쓰였을 건데,

취업을 하게 된 건 좋지만,

너무 어린 나이에 결혼을 선택하는 것이

많은 것들을 더 힘들게 하게 될 거라고 이미 예상하셨을지도 모르겠어요.

문.전.박.대를 당했던(?) 그 날이 9 월 추석 즈음이었던 거 같은데,

다음해 3 월 저는 품절녀 가 되었습니다.

부모님의 허락 이후 모든 것들이 일사천리였어요.

준비 과정에서 어려움도 있었어요.

제일 큰 어려움은 시부모님을 모시고 살아야 하는 거였답니다.

그 당시엔 그 어려움의 강도가 엄청나게 와 닿진 않았어요.

친구들이

'뜯어말리고 싶다'라는 표현들로 어려움 이구나라고,

느끼게 된 것뿐이었어요

꿈을 포기하게 되고,

집안 일들을 겪어내는 그 큰 일들을 해내고 나니,

담담 해졌다고 표현하는 게 맞겠죠?

이렇게 상황에 무뎌 지는 것이

어른이 되어가는 과정인가 봐요.

머리는 괜찮은데 마음은 안 괜찮았는지

결혼 앞두고 일주일 전쯤 부터 속이 좋지 않더라고요.

결국 결혼식 당일 새벽에 응급실 가서 수액 맞고,

결혼식장을 들어 갔습니다.

막상 결혼식장 에서는 참 해맑게 웃고 있었어요.

아빠가 결혼식 전 날에

저에게 이렇게 말을 했었어요.

"슈퍼에 가서 소주 한 짝 사다 줘."

아빠의 말에...

"돈 없어! 결혼식 전날에 무슨 술을

얼마나 마시려고 그래?

한 병만 사 드릴게요!"

시간이 흐르고 나니,

어떤 의미의 말이었는지 이제야 알 것 같습니다.

어린 나이에 일찍 분가시키는 마음.

그 시절 결혼한 여자에 대한 편견.

욕심이 많은 아이인데,

감당해 낼 수 있을까 하는 걱정들.

엄마, 아빠 랑 오래 함께 살아서

매우 잘 안다고 생각 했는데.........

아주 큰 '착각'이고 '오만함'이었어요.

부모님의 마음은 분명 어린 저와는 달랐을 거예요.

[말도 안되는 상황이 생기기도 합니다.]

결혼식 당일.

새벽에 아팠던 게 신혼여행을 가면서까지도

통증을 느꼈어요.

그 덕분에 비행기 안에서의 14 시간은 14 일 같았고,

도착해서도 하루는 꼬박 누워 있어야만 했어요.

세상 아까운 시간이었답니다.

호주로 여행을 갔었는데, 여유로움이 너무 좋기만 했습니다.

<u>여유로움과 안정감을 찾던 저였 던지라.</u>

<u>돌아오고 싶지 않았어요.</u>

몇 년을 마음 졸이며 지내 왔던 시간들이

보상 받는 기분이었고,

근심 걱정 없이 여행을 하는 그 시간이 너무 행복해서

잃고 싶지 않았습니다.

차라리 여권을 잃고 싶었어요.

한국으로 돌아오는 비행 시간은 14분 같이 느껴졌어요.

한국 도착 후, 새 집으로 가는 발걸음이

낯설기도 두렵기도 했지만,

내가 '지금 바로 이 자리'에 있는 것이 마냥 감사했어요.

잘 살면 되니까!

어제보다 나은 오늘이 될 테니까!... 하고 믿었어요.

신혼을 즐기며, 회사 생활도 즐기며,

"이 생활도 나쁘지 않네?" 하며 익숙해지던 어느 날.

결혼식 즈음 느꼈던 통증이 다시 오기 시작했어요.

음식을 먹어도 소화도 안 되었고,

머리도 아프고, 어지럽고,

어느 부분이라고 말하기 힘든 배의 통증도 느꼈어요.

숨통을 조여 오기도 하고,

한 걸음을 떼기조차 힘든 통증을 주기도 했어요.

점차 아픔을 느끼는 횟수가 늘어만 갔고,

강도도 쎄지는 것 같았어요.

그런데 왜 우리는 항상 중요한 순간에 자체적인

'전문의'가 되는지 몰라요.

아픔이 생기면 병원을 가야 한다는 것은

학교 다니면서 숱하게 들어왔잖아요.

"여보세요 여보세요 배가 아파요.

배 아프고 열이 나니 어떡할까요?

어느 어느 병원에 가야 할까요?

여보세요 여보세요 나는 의사요.

배가 아프고 열이 나면 빨리 오세요.

여기는 소아과 병원입니다."

['병원놀이' 동요 노래 中]

동요를 숱하게 듣고 불렀잖아요.

그렇게 동요로 가스라이팅을 당했으면서도

온갖 핑계를 만들어냈어요.

'회사를 가야 하니까!', '참을 만하니까!'

'좀 지나면 나아지겠지.' 하며,

그렇게 시간은 지나갔어요.

그 시간들로 하여금 더욱 아픔을 키웠을지도 모르겠어요.

(그땐 그게 엄청 잘못된 일이라 생각하지 않았어요.)

덜 아팠던 거였을까요?)

 예상 하셨겠지만, 그렇게 참아내다가

결국은 통증이 더욱 심해져서 병원을 결국 찾아 가게 되었답니다.

우선, 내과를 갔어요.

증상을 이야기하니, 약 처방을 해주었어요.

약을 먹으니까 아픈 게 후딱 나아지더라고요.

"아~ 진작 갈 걸... 약 먹고 이렇게 나아지는 건데..."

후회해도 지난 일이 되어 버렸어요.

3일 정도 먹을 수 있는 양을 받았던 거 같은데...

정확히 3일은 행복했습니다.

정말.... 딱! 3 일이요.

약을 먹지 않으니까 또 다시 아파 왔어요.

약을 먹으면 나아진다는 경험을 한지 얼마 안된 터라

바로 병원으로 달려 갔어요.

의사 선생님은. 여러 가지 질문을 했어요.

약을 먹고는 예전보다 통증이 어땠는지?

다시 아픔을 느끼기까지 시간 차가 얼마나 있는지?

질문들 이후엔 약처방을 해 주셨어요.

이러한 상황이 3 회 ~ 5 회쯤 반복되었던 것 같아요.

반복된 병원 방문에 선생님에게 감사한 마음을 느끼고 있었는데,

이별 통보를 하시더라고요.

"통증이 약으로 일시적으로 완화되는 것뿐이라면,

검진을 받아볼 필요가 있을 거 같아요.

종합 병원을 가 보셨음 좋겠어요."

대수롭지 않게 생각 했어요.

"귀찮게 어딜 자꾸 가래?"

'그동안 내가 시간을 할애해서 왔던 건 안중에 없어?'

라 고만 생각 했던 거 같아요.

이 생각들이 더 큰 아픔을 데리고 올 거라고.

왜 그땐 생각 하지 못했을까요?

그렇게 첫번째 병원과의 이별을 했습니다.

그리곤 다시 아픔이 가득했던 시간으로 돌아왔어요.

하루... 이틀.... 삼일...

시간이 지나면서 잊고 있었던 시간을 다시금 마주하게 되었어요.

음식을 먹어도 소화도 안되었고, 머리도 아프고, 어지럽고,

어느 부분이다 말하기 힘든 배의 통증도 느꼈어요.

숨통을 조여 오기도 하고,

한 걸음을 떼기조차 힘든 통증을 주기도 했던 그때 그 시간...

다른 병원을 찾아갔어요.

현대의학이 안되면 고전의학으로 가자 하는 마음이었어요.

한의원을 찾아 갔어요.

방법은 알고 있었던 거 같아요.

<u>"아프면 병원을 가야 한다!"</u>

지난 시간 받았던 가스라이팅 덕분에 말이죠.

한의원을 찾아 가기까지

나름 검색창에 나의 통증에 대해 최선을 다해 알아보고,

단번에 치료해 줄 수 있는 곳을 찾았던 거 같아요.

수많은 한의원들 중 저에게 선택된 귀하고 귀한 한의원.

집에서 거리는 좀 있었지만,

그동안의 시간을 알아주고, 함께 고민해 주고,

치료를 해주려고 노력하던 모습이 더없이 좋았어요.

한약재를 환으로 만들어 먹기 편하게 해주었답니다.

환을 먹으며 증상도 완화되고,

'그래! 이거지!' 했던 거 같아요.

그러던 어느 날...

화장실에 갔다가 혈 변을 보게 되었어요.

사실 화장실 가서 혈 변을 본다는 건,

변기를 바로 쳐다보거나 혹은 화장지를 통해서 닦아내지 못하면

알 수 없잖아요.

저는 화장지로 닦아내면서 알게 되었어요.

'어라? 한달의 한번 마법기간인가?' 했었어요.

또, 대수롭지 않게 넘기려고 하는데...

'응? 나 마법 끝난 지 얼마 안 되었는데?'

그제서야 사태의 심각성을 느꼈어요.

물론, 심각성을 느끼고도 종합병원에 가기 보다

한의원에 전화해서 상황 설명을 했던 거 같아요.

내가 할 수 있는 최선이라고 생각하면서요.

한의원에서 돌아온 답변이요?

첫번째 병원의 이별 통보와 같았어요.

두 번째 병원에서 조차 결국 이별 통보를 받았어요.

"종합병원으로 가셔서 진료를 받아 보셨으면 좋겠습니다.

"소견서는 준비해 두겠습니다.

시간 되실 때, 방문해 주세요."

'뭐 이런 돌팔이들 투성인데?' 라고만 생각 했었어요.

분명 얼마 전까지 고마움으로 가득 찼던 감정이었는데 말이예요.

'또 다시 아픔을 느끼면 어쩌지?'

걱정과 근심이 가득 했답니다.

그 아픔은 죽어도 다시 느끼고 싶지 않았거든요.

매우 불편 했어요.

결국 소견서를 받아 들고 종합병원으로 향했습니다.

종합병원이 좋은 사람도 없겠지만,

제가 종합병원이 싫었던 이유는

기다림이 너무 싫어요.

무의미한 예약도 싫고, 온갖 검사를 해대는 것도 싫고,

그 검사의 중요성을 깨달은 적이 없어서 였을테지만요.

몇 개월을 돌고 돌아서 종합병원으로 갔어요.

그 기다림을 감내하며 진료도 받고, 각종 검사도 받았습니다.

그 검사 중 하나가 수면 내시경이었던거 같은데.

마취가 제대로 되지 않아서 엄청 아팠고,

불쾌한 경험으로 남았어요.

결국,

세번째 갔던 종합병원에서도 이별 통보를 받았어요.

소견서를 쥐여주며 대학병원으로 갔으면 한다고

전달을 받았어요.

이쯤 되면 '나는 할 도리 다 했다' 싶었어요.

지난 시간들 충분히 내가 할 수 있는 최선을 다했다고....

더는 아닌 거 같다고 혼자 생각 했어요.

무슨 병원들이 아픈 거 하나 못 찾아내서

뺑뺑이를 돌리냐고! '이런! 돌팔이들!!'

병원 가는 시간이 너무 아깝게 느껴지기 만했어요.

회사 생활을 하면서 병원을 가는 것도 눈치 보였고,

쉬는 날 병원을 가게 되면 반나절 뚝딱 하고,

시간이 가버려서 온전한 휴일이 되지 않았으니까요.

지겨웠다는 표현이 적합 할 거 같아요.

인근 병원도 다녀왔었고,

이별통보 후 다음 스텝을 실행해 냈는데,

그 결과들이 계속 서로 미루기만 한다고 느껴졌어요.

무언가를 더 하고 싶지 않았어요.

시간을 할애하고 약도 먹고 최선을 다했는데 돌아오는 건

지속적인 이별 통보였으니,

이 정도면 가기 싫을 법한 사유가 충분했지 않을까요?

이 기간이 적어도 반년은 넘었던 거 같아요.

통증은 계속되었지만, 강도의 차이가 있을 뿐이었어요.

그 아픔을 온전히 느끼는 건 저 자신일 뿐이니.

불편하니까!

결국은 대학병원을 스스로 찾아 갔습니다.

대학병원은 종합병원보다 기다림이 더 심했어요.

추천해주신 선생님의 가장 빠른 예약일은

두어 달 후나 가능 했고,

그 기다림 끝에 예약된 시간에 가더라도 기다림은 여전했으며,

상태 확인을 위한 검사 예약 또한. 기다림의 연속이었어요.

"진작 올 걸" 하는 생각 보다,

"하~! 내가 여기서 뭐하는 거냐?" 하는 생각들이

가득 차기 시작했어요.

인내심 테스트하는 건가 싶을 정도였거든요.

기나긴 기다림과 불쾌한 검사들.

기어코. 또 경험을 하고야 말았어요.

드디어!

기다리고 기다리던. 결과를 듣는 날이 왔습니다.

"그동안 어떻게 지냈어요? 입원 바로 하시죠."

아니 이런 "기.승.전.결"도 없이

"결"만 이야기하는...

무작정 입원이라는 말을 듣고는 혼자 속으로

'이건 또 뭐냐?' 싶었어요.

'하도 기가 막혀서 말이 안 나온다' 라고

어른들이 말씀하시잖아요.

그 말을 실로 경험했던 순간이기도 했습니다.

[교수님의 말]

"그동안 어떻게 지냈어요?" 라는 질문은

"그 동안 이 상태로 어떻게 지낼 수 있었나요?"의

유회된 표현이었어요.

"수술하셔야 해요 더 시간을 지체할 수 없을 거 같네요.

자세한 이야기는 입원하시고 병실에서 만나서 말씀 드릴게요."

이게 맞나요?

병원을 돌고 돌아서 대학병원까지 왔는데,

저로 썬 최선을 다했던 지난 시간들이 있는데,

'그 시간은 무의미 했다!' 라고

이야기하는 거로 재해석 되어 들렸어요.

지금은 너무도 잘 알고 계신 '윤종신 병' 이라고 하는

(가수 윤종신님이 앓았던 병) '크론씨병' 환자가 되었습니다.

2023년 방영된 닥터 차정숙 드라마에서도 언급되었죠.

(저는 입원실에 가서 들은 이야기이지만,

여러분께는 미리 알려 들리게요.)

희귀난치병 환자로 분류되는 말도 안되는 상황.

대체 저는 무슨 잘못을 하며 살았기에

희귀난치병 환자가 되었을까요?

왜 항상 나쁜 일은 몰려오는 것인지?

아프면. 병원을 바로 가야 해요.

내가 전문의가 아니니까 병을 키우지 말고,

시간 지체하지 말고 가야 합니다.

[희귀난치병]

발병 사례가 드문 질병을 말한다.

말 그대로 매우 드문 병이어서 이 병에 걸린 사람들은

치료도 받지 못하고 불운하게 살아가거나 고통받는 경우가 많다.

특히 치료비가 천문학적으로 드는 경우가 상당수이다.

옛날에는 희귀 병 환자들 중 대부분의 환자들이

의료보험 적용이 되지 않았지만,

현재는 대다수의 희귀난치성질환 환자가

산정특례 대상이 되어 비용의 90%를 지원받고 있다.

나무위키에 있는 질병 목록 중에 90%의 지원금을 받는다는

말이 있으면 죄다 여기 해당하는 것.

그러나 이들 중에서도 극소수의 발병률을 보이는 병은

아예 사각지대에 놓여 지원을 못 받는 경우가 많다.

더군다나,

매우 드문 병이기 때문에 전문의도 쉽게 병을 발견하지 못하고

오진하는 경우가 많다.

아무래도 환자가 별로 없다 보니

전문의조차 경험이 부족할 수밖에 없는 것.

게다가 돈도 잘 안되는 실정이라 전문의 자체가 흔치 않다.

[출처] 질병 관리청

[산정특례제도]

산정특례 제도의 정확한 명칭은

'본인일부부담금 산정특례 '로 중증 질환자에 대해 환자가

부담하는 진료비를 경감해 주는 제도다.

대상이 되는 중증 질환으로는

암, 중증 화상, 심장이나 뇌혈관, 희귀 및 난치성 질환은 물론

중증 외상과 중증 치매도 포함된다.

산정특례는 병원에서 검사를 통해 대상 질환으로

판정을 받은 이후 소정의 양식에 따라 별도의 등록 창구나

건강보험공단 지사 등을 통해 신청할 수 있다.

 대상자로 선정된 중증 질환자는

해당 질환으로 인한 입원, 검사, 기타 외래 진료를 할 때,

질환에 따라 병원비의 90~100%를 지원받게 된다.

즉, 환자가 0~10%의 비용만 자 부담하는 것이다.

산정특례 제도의 지원 기간은 최대 5년이며,

암 환자와 중증 치매 환자, 희귀 및 중증 난치성 질환자는

최대 기간 동안 지원을 받을 수 있다.

만약 지원 기간 내 완치가 되지 않거나 질환이 재발하면

등록을 통해 지원 기한을 연장할 수 있다.

시간이 지나

왜 병원을 빨리 가지 않았을까? 하고

고민해 본 적이 있었어요.

미루고 싶었던 것인지?

피하고 싶었던 것인지?

내 마음은 대체 어떤 것이었는지.

궁금 했거든요.

곰곰이 생각해보니,

20 대의 젊음에 아픔이라는 태클을

더이상 받고 싶지 않았던 마음이었더라고요.

그 문제를 마주할 용기가 없었던 거예요.

또 다시 혼란속의 나를 마주하고 싶지 않아서......

[똥 밟았다고 느껴 지기도 합니다.]

그렇게 아주 부 자연스럽게 진료실에서 나왔어요.

고민이 많아 졌어요.

생각해 보면 어릴 때도 병원은 자주 안갔던거 같고,

특히 입원이랑은 아주 거리가 멀게 살아왔던 거 같아요.

그 당시.

입사 한지 얼마 안된 미생이기도 했으니,

'이 상황을 어떻게 말해야 하나?' 싶기도 했고,

'무엇을 준비해야 하나' 싶기도 했고,

'피할 수는 없는 것인가?' 하고,

아주 다양한 고민들을 마주하게 되었던 것 같아요.

한가지 꿈만 바라보며 달려왔고,

일탈의 시간을 즐긴 것뿐이고,

내 의지로 시작된 건 아니었지만, 보란듯이 취업도 했는데....

이게 잘 못 된 건가?

수많은 자책들을 하고 있는데,

그 시간도 잠시.

간호사 선생님의 압박은 계속되었어요.

입원 수속을 해야 한다고... (앵무새 인줄 알았어요.)

어른인 게 싫게 느껴졌고,

또 어느 날은 어른인 게 감사하다고도.

생각했었는데....

감사하다고 느꼈던 지난 시간이

'역시! 어른은 좋지 않아!' 가 되어 버렸어요.

결정장애가 발생되어 버렸거든요.

함께 사는 이에게 전화했어요.

물론, 그 동안 숱하게 병원을 돌고 돌아다닌 것을

알고 있었으니,

그 상황이 난감하기는 마찬가지였을 거예요.

"해야지~!"

그 3음절이 그리도 원망스럽게만 들려왔어요.

'회사에는 또 뭐라고 말해야 하나?'

'어디부터 설명을 해야 하나?'

고민하다 휴가와 년치를 우선 사용하는 걸로 이야기했어요.

회사에 '병가' 제도가 있기는 한데,

본인 휴가와 년 차를 소진해야만 병가를 쓸 수 있다고 하더라고요.

그렇게 그날 바로 입원을 하게 되었습니다.

부모님께도 전화로 상황설명을 했어요.

병원이 본가와 멀지 않아서,

부모님과 통화 후 머지 않아 바로 병원으로 와 주셨어요.

"힝~ 엄마... "

"아빠. 나...."

나 어떻게...? "

부모님 얼굴을 보자마자 눈에서 눈물이 흘렸어요.

당황스러운 상황들.

그리고 그동안 여러 병원을 다니며 불안했던 마음들.

그 모든 시간들의 복합적인 감정이 눈물로 표현되는 거 같았어요.

"아빠...

내가 술 먹고 엄마, 아빠한테 속상하다고 해서 벌받았나 봐...

미안해요."

고해성사를 자연스레 하게 되더라고요.

머지 않아 담당교수님과 주치의선생님이 입원실로 들어왔어요.

그리고 전해 들은 이야기.

"희귀난치병, 크론씨병" 으로 추정된다는 말이었어요.

'확진 판정은 수술을 하고서 진행이 될 것이다' 란 말과

수술은 오래 걸리지 않을 것이라는 말을 끝으로

두 선생님은 혼란만 잔뜩 주고 나가셨답니다.

그 이야기를 듣고 나니,

그 동안 만나 왔던 선생님들이 돌팔이가 아니라,

희귀난치병인지라 사례가 없던 거란 걸 알게 되더라고요.

그제서야 지난 시간들이 퍼즐 맞춰지듯 맞춰졌어요.

왜 약을 먹고도 통증이 지속될 수밖에 없었는지.

병원을 왜 계속 옮기라고 했는지.

온갖 검사들을 경험하게 된 이유들도 말이죠.

함께 살던 이가 도착 하고서야

입원은 얼마나 하게 되는지. 수술시간은 얼마나 걸리는지.

내용들에 대해서 물을 수 있었어요.

또 다시 찾아온 멘붕의 시간이었거든요.

그동안 아파왔던 시간이 있으니 뭐.

입원은 할 수 있다고 치더라도...

수술은 또 왠말인가요?

나한테만 이런 일이 일어난다는 게 참 개떡 같았어요.

'윤종신 병' (가수 윤종신님이 앓은 병) 이라고 이야기가

나오기 전의 일이니... 더 사례를 찾을 수 없었겠죠.

무서웠던 거 같아요.

희귀 난치병이란 워딩도. 수술이라는 워딩도.

결과를 알 수 없는 막연함에서 오는 두려움은

그 누가 대신해 줄 수도 없잖아요.

희귀난치병에 대한 수술을 경험한 분들이 많지 않을 테니,

정보를 얻을 수도 없고,

알 수 없는 불안감의 크기만큼 두려움의 크기가

곱절로 커져만 갔어요.

그렇게 두려움 가득 적립하며 수술 당일이 되었어요.

제가 알고 있는 정보라고는

"2 시간이면 수술이 끝날 것이다" 라는 것뿐.

수술 당일에 엄마 아빠는 물론이거나 와

시어머님, 함께 살던 이까지 수술실 입구까지 함께 했어요.

시 어머님 손을 붙들고,

"죄송하다고... " 얼마나 또 울었는지 몰라요.

분명 몸 속의 장기가 고장 났다고 들었는데,

눈물샘도 고장이 났는지 '툭' 하면 홍수가 나더라고요.

수술실 안은 매우 추웠어요.

세균 감염의 위험 때문에 추웠던 거겠죠?

그 조차도 첫. 경. 힘이다 보니,

그냥 마냥 춥다고 이야기했던 거 같아요.

영화나 드라마에서 보던 수술실의 모습 있으실까요?

넓디 넓은 공간. 가운데 놓여 있는 베드.

천정에 붙어 있는 화려한 조명. 온갖 장비들.

그대로였어요.

그래서 그 공간이 낯설지 않았다고 말하고 싶은데.

이게 좋았다는 표현은 아니예요.

다만, 영화나 드라마가 4D 가 아니다 보니 온도를 느낄 수

없었던 게 낯설었던 거 같아요.

"약 들어 갑니다."

이 말을 끝으로 저는 기억이 없네요.

깨어나니 회복실 이었어요.

수술실을 향해 갈 때 따스한 햇살이 비추고 있었고,

회복실에서 입원실로 돌아가는 그 길은

어둠이 내려 앉아 있었어요.

'아... 살았구나.... '

병실에 돌아왔는데 말이죠-

12 시간을 넘게 수술을 했다고 해요.

응? 두시간 걸린 댔는데?

그리고, 회복실에서도 한참만에 나왔다고 하더라고요.

제 몸에는 알 수 없는 장치들이 어마 무시하게 달려 있었어요.

제일 불편하게 했던 건 엄청난 무게의 추가 달려 있었답니다.

반듯하게 누워만 있어야 했고,

소변도 소변줄로 봐야 하는 그런 모습이요.

온전히 내 모습을 인지하게 되었을 때, 너무도 부끄러웠어요.

함께 사는 이에게도... 부모님에게 도요.

배꼽부터 가슴 바로 밑까지는 프랑켄슈타인처럼

꼬맨자국이 있었답니다.

'대체... 무슨 일이 있었던 건지?'

'피부조직을 조금만 열어도 분명 많은 곳을 볼 수 있었을 텐데.'

'왜 이리도 엄청난 칼자국을 만들어 둔거지?'

온갖 의문이 난무할 때,

기가 막힌 타이밍으로 교수님이 등장했습니다.

"생각 했던 것 보다 상태가 좋지 않아서,

소장의 일부를 제거했고,

대장은 3 분의 1 을 제외하고 모두 잘라 냈어요.

장기를 모두 드러낼 수밖에 없었습니다.

그래도 수술은 잘 되었으니 걱정 안 해도 됩니다.

장기를 드러냈기 때문에 자리를 잡을 때 까지는

장기들이 쏟아지는 느낌이 들 거고,

그 기간 동안은 반듯하게 누워 있어야

제대로 자리 잡을 수 있어요.

퇴원까지는 한달 이상 걸릴 수 있겠지만,

좀 더 지켜보고 이야기해요.

수술 잘 받아줘서 고마워요.

배에 칼 자국 덜 내고 싶었는데 어쩔 수가 없었어요.

미안해요."

우리 교수님은 늘 기.승.전.결 중에서 "결"만 이야기

하는 분 인줄 알았는데

이토록 기.승.전.결 플러스 공감, 배려까지 완벽하게

갖춘 분이었나 싶을 정도의 완벽한 설명이었어요.

아니면.

"질문하지 말아라" 하는 무언의 압박이었을까요?

어떤 마음이었든지 간에 살았으니 된 거죠.

그런데 살아 있으니 된 거다 라는 말과 모순되게

제 답변은....

"앞으로 비키니는 꿈도 못 꾸겠네요?"

이렇게 말하고 있었습니다.

어렸습니다... 매우 어렸던 거 맞아요.

아픈 것도 서러워 죽겠는데, 아직 젊은데. 비키니도 못 입고,

(아직 한번도 못 입어 봤는데... 평생을 못 입는다고?)

왜 이런 병이 나한 테 온 건데... 뭔 똥을 밟았기에 이리도...?

울컥하고 또 눈물이... 나려는데...

못 울었습니다.

배도 아프고 가슴도 아프고,

울림이 조금이라도 있으면 수술받은 곳들이 아려 왔거든요...

"젠장!

이제 우는 것도 내 맘대로 안돼~!!!"

내 맘대로 안되는 일들이 생기죠.

이런 말도 안되는 상황이 일어나는 게 맞나 싶기도 하고요.

세상이 나한테만 유독 가혹하게 구는 거 같기도 하고요.

이런 말도 안되는 일을 겪으며 그 시간을 경험하고,

헤쳐 나가는 것이 사는 거라고 하더라고요.

저는 그렇게 어제보다 나은 오늘을 위해,

경험하고 헤쳐 나가려 무던히 애썼나 봅니다.

[그 무엇이든지 간에 '처음'이라는 단어에 대한 설렘.

그리고 막연함 두려움이 주는 감정은

살아있는 느낌을 갖게 해주기에

더 없이 즐기게 되는 거 같아요.]

앞서 느꼈던 살아 있다는 느낌의 정의는 이 날 이후 변경되었습니다.

'처음'이라는 단어에 대한 설렘.

막연한 두려움이 주는 감정이 살아 있음을 느끼게 하는 것이 아니고,

살아 있다는 건 그 어떤 상황이 오더라도

헤쳐 나가야만 하는 것.

그 헤쳐 나감을 온전히 느끼는 것.

살아 있다는 것 자체가 고통이지만,

그 고통의 시간을 어쩔 방도가 없어 순응하게 되는

익숙함으로 만드는 것이 아니라,

고통의 강도를 줄이기 위한 시도와 실천을 함으로

낯 설음을 만들어 주는 것.

그것이 진정 가슴 뛰는 일을 만들어,

살아 있음을 느끼게 하는 것이었더라고요.

아프고 나서야 느끼고 깨닫게 되는 것들이 있습니다.

20 대의 아픔 후에는

이제 투덜대지 말고 살아야 겠다.

목표를 향해 가지 못할 수도 있지.

부모님도 사정이 있었겠거니.

이렇게 내 마음을 종이접기 하기 시작했어요.

나도 어른이 처음이었는데,

아픔도 처음이어서...

동서남북 하는 종이접기 아시죠?

20 대의 아픔을 맞이했을 때,

동서남북 종이접기로 당첨된 건.

'지금 내가 있는 곳에서 최선을 다하기.'

'후회라는 단어와 이별하기.'

"어제와 다른 내일을 위해

지금 이 순간 절대 후회 없이 최선을 다해서 살아내기"

이거였어요.

2장
아픔을 이겨내기 위해.

몹시 좌절될 것 같이 여겨지는 사건이 전화위복으로

그 사람의 인생에 최대의 분기점이 되는 경우가 있다

전화위복의 기회는 항상 있다. [디오도어 루빈]

[무던히 노력을 합니다.]

살아 있기에 이 모든 상황을 헤쳐 나가야 하는

절대 불변의 법칙이 되어버렸잖아요.

더이상 피할 수도 없고, 되돌릴 수도 없는 상황이었어요.

수술은 하 고야 말았고, 지금 부터는

"시간이 약이다" 이것 뿐이었어요.

저는 기다림이 싫습니다.

물론, 상황에 대해, 그 시간들에 대해 최선은 다한다고

생각해요.

그리고 기다림이 있어야 한다는 것도

머리로는 알고 있는데, 그냥 기다림은 다 싫어요.

교수님이 이야기했던 한달의 시간 후엔

분명 더는 아프지 않고 살아 갈 수 있을 거라고 믿었습니다.

그렇지만 지금 당장이 너무 아프잖아요.

너무 불편 하니까!

성격이 급한 탓인 거겠죠?

역시나 수술한 다음날 부터 통증으로 인한

불편함을 너무 많이 느꼈습니다.

통증이 심할 때 마다 수많은 수액들 중 진통제?

수액의 양을 늘려 주기도 했던 거 같아요.

젊디젊은 나이의 나.

사지가 멀쩡하지만 내 마음대로 움직일 수 없는 불편함.

누워서 모든 것을 해결해야 하는 나.

제아무리 가족이라도 보여주고 싶지 않은 모습이 있잖아요.

그렇게 한 일주일은 자존감 무한 하락이었어요.

시간은 더디게만 갔고,

매일 같이 잠에서 깨지 않았으면 바라기도 했어요.

회사 선배에게 연락이 왔습니다.

"병문안 가려고 하는데, 어디로 가면 돼?"

가족에게도 보여 주기 싫은데,

동료에게는 더 없이 보여 주기 싫었어요.

어떻게 말을 해야 할지 엄청 고민 했었어요.

있는 그대로 말하면 되었을 텐데...

그 당시엔 뭘 그리도 고민을 했는지.

거절을 어떻게 해야 잘 하는 건지 모르기도 했어요.

선배가 나를 생각해서 병문안을 온다는데

미생이... 이걸 어찌 깝니까?

그럼에도 불구하고 상태가 상태인지라.

"감사합니다 선배님.

바쁘신 데 안오셔도 됩니다.

갑자기 쉬게 돼서 죄송합니다.

얼른 낫고 복귀하겠습니다."

두리뭉실 아주 아름답게 포장을 해서 답변을 했어요.

전송 버튼 누르면서도 어찌나 심장이 터질 것 같던지...

눈치 백단 센스 만점의 선배는 아주 찰떡같이 알아들어 줬어요.

"아직 불편하구나. 몸조리 잘 하고 있어!

몇일 더 있다가 들를께."

사회생활은 이렇게 하는 거구나.

결과가 아주 만족스러웠던 탓에 전송 버튼을 누르며,

매우 소심이가 되었던 제 자신을 한번 더 탓해 봅니다.

자존감, 자신감 다 잃어 가고 있었어요.

되돌릴 수 없는 상황이라는 걸 너무 잘 알지만,

마음이 말랑말랑 해진 상태라 속상하기만 했어요.

내 모습이 너무 처량하기만 했어요.

20 대의 나이에. 다른 친구들은 학교를 다니고 있고,

본인의 꿈을 향해 달려가고 있는 거 같고,

혹은 휴일이면 눌러도 갈 텐데....

내가 꿈꿔 왔던 20 대가 이런 모습이 아니었는데....

마음이 아픈 강도가 몸이 아픈 강도와 같았어요.

매시간 신체적 고통을 느끼는 만큼

마음도 같이 아파왔어요.

제일 참을 수 없이 힘들었던 건 아무것도 할 수 없는.

가만히 누워만 있어야 하는 상황이었어요.

교수님과 주치의 선생님이 입원실에 올 때마다

물었던 것 같아요.

늘 같은 질문. 늘 같은 대답이었어요.

"언제 움직일 수 있어요?"

"속 안에 있는 장기라 자리 잡으려면 좀 더 시간이 필요합니다."

"좀 더 시간이 언제까지 인대요?"

"힘들죠?"

원하는 대답은 늘 상 저 멀리 보내 버리고,

질문에 질문을 받기 일쑤였어요.

기약 없는 "좀 더 시간이 필요하다"는 말에 공감을 하는 건

아무것도 할 수 없어서 가만히 누워있는 저에게

쉬운 일은 아니었던 거 같아요.

'나아지겠지....'

'나아지겠지....'

'수술 잘 되었다고 하니 나아지겠지....'

하다 가도 괜스레 혼자 토라져서는 말을 안하기도 하고,

내가 무슨 잘못을 했기에 이런 모습이어야 하는 건지?

어디서 부터 잘못된 건지?

내가 원했던 건 안정적인 삶이었고,

이제 조금 '안정적이구나'라고 생각 했는데.

그렇게 생각에 꼬리 물기로 입원실 안의 천정과 찐친이 되어 갔어요.

그러다 문득,

희귀난치병의 다른 사람들은 어떻게 이겨내고 있는지,

어떤 시간을 보내고 있는지 궁금해졌어요.

그래서 주치의 선생님, 간호사 선생님 한테 물었어요.

다른 사람들도 저와 같이 입원실 천정과 친구가 되고 있는 건지?

물론!

희.귀.난.치.병 인지라 주치의, 간호사 선생님도

정보가 없기는 마찬가지였어요.

그래도 오프라인 모임, 온라인 카페가 있다고 함께 찾아봐 주셨어요.

희귀난치병은 맞지만, 한국에 나 혼자 있는 병은 아닐 테니까!

나와 같은 시간을 보낸 사람들이 분명 있을 테니,

그들의 시간을 찾아봐야 겠다고 생각 했어요.

제 찐친인 입원실 천정 덕분입니다.

사람이 참 간사해요.

아플 땐 제발 안 아팠으면 좋겠다 생각하고,

약 몇 알로 호전되면 세상 행복하다 생각하고,

제발 무슨 병인지라도 알았으면 좋겠다 생각해 놓고

막상 병명을 알고 나니 희망했던 마음은 이불 킥하고,

아파서 병원을 안가고 버티던 시간은 긴데

빨리 낫기를 원하고,

수술실 들어가면서 제발 살았으면 좋겠다고.

생각 했던 거 같은데,

살아 있으니...

좋은 거 보다 상황에 불평불만만 늘어 놓고,

엄마 아빠한테 그리 투정 부려서 미안하다고

울며불며 말 해 놓고, 아프다는 핑계로

병수발 드는 엄마 아빠에게 짜증을 또 부리고 있어요.

나 인성 문제 있어?

[새로운 시도를 해보기도 합니다.]

그렇게 시간이 흘러 지긋지긋한 추와 이별을 하는 날이

오긴 오더라고요.

드디어 침대와 조금은 거리두기 할 수 있는 시간도

생기기 시작했어요.

교수님과 주치의 선생님은 병동을 조금씩 걸어보라고

이야기 해 주시기도 했으니 나아지고 있는 거였나 봐요.

세상을 다 가진 것처럼 행복했어요.

애타게 기다리지 않아도,

시간이 지나면 자연스럽게 오는 거였는데,

왜 그땐 그 시간이 마냥 길게만 느껴졌는지 모르겠어요.

병실 밖으로 나갈 수 있다는 것이 이토록 행복할 일인가?

오로지 병실에 있을 때는

몸이 갇혀 있는 것만큼 마음도 갇혀 있었던 거 같아요.

그 어떤 연락도 귀찮고,

그 어떤 말도 듣기 싫어서 먼저 말을 하는 일도 없었고,

부모님의 감정,

함께 사는 이의 감정은 안중에 없었던 거 같아요.

병실 밖으로 한 발짝 떼었을 뿐인데,

친구들의 연락이 너무 좋았고, 간호사 선생님들의 인사가 반가웠고,

그제서야 부모님의 마음과 함께 사는 이의 마음이

걱정되기 시작하더라고요.

'이래서 청개구리라 그랬나?'

부모님이 한때 청개구리라고 불러 댔던 그 모습의

저를 실로 경험했습니다.

'이제. 잘 살면 되는거지.

이 시간들 다 갚아주면 되는거지.'

누워만 있을 때 알게 된

희귀난치병 홈페이지를 접속해보기도하고,

나와 같은 시간을 보낸 사람들.

혹은 같은 시간을 보내고 있는 사람들의 이야기를 찾아봤어요.

수술 후 악화되었다는 분.

수술 후 일반인과 다를 바가 없다는 분.

수술 후 통증이 계속된다는 분.

도통 알 수 없는 정말 희.귀.난.치.병이었어요.

어떤 경우의 수가 나에게 적용될지 모른다는 두려움이

한껏 밀려왔던 거 같아요.

늘 그렇듯,

결과를 알 수 없는 시간은 막연한 두려움이 앞서니까요.

그렇다고 수술이 잘 되었다고 한 교수님 말을

묵사 할 수 없으니,

지금부터는 내가 해야 할 것들을 찾아보자 싶더라고요.

굉장히 적극적이었던 거 같아요.

입원실 밖으로 한 발짝 떼고 난 후에야 마음의 여유가 생긴 건지,

아님 누워 있던 시간들의 끝이 해피엔딩이라 느낀 탓인지,

병원에서의 시간을 의미 있게 쓰기 시작했어요.

아침을 맞이하면 산책도 나가고, 밥도 잘 먹어보려 애썼고,

교수님과 주치의 선생님을 만나는 시간에는

이 병에 대해 질문했어요.

원인은 어떤 게 있는지? 사례들이 어떠했는지?

경과는 어떠 한지?

주로 어떤 치료를 하고 있고, 임상 실험은 하고 있는지?

앞으로 어떤 걸 조심하면 되는지?

그렇게 반 전문의가 되어 갔답니다.

이런 제 모습이 나쁘게만 보이지 않았나 봐요.

부모님도 좋다는 음식을 챙겨 주시고,

시어머님도 그랬던 거 같고.

무엇보다 함께 살던 이도 저와 함께 반 전문의가 되어 갔어요.

그렇다고 이 마음이 쭉 유지되진 않았습니다.

병원에서 경과 확인한다고,

내시경을 하거나 조직검사를 하는 날에는

지치고 짜증도 났어요.

뭐든, 검사라는 건 다 불편 한 거 같아요.

어쩌겠어요!

그럼에도 불구하고 해야 만 하는 절대 피할 수 없는 것을.

그런데요.

시간이 흘렀기에 나아진 것도 있었겠지만,

크론씨병에 대해 공부하고, 내용을 찾아보고,

실천할 수 있는 것들을 하면서

아픔을 느끼는 횟수가 매우 적어졌어요.

그러다,

밤이 되면 또 아프기도 하고...

교수님이 할 수 있는 일.

주치의 선생님이 할 수 있는 일.

부모님이 할 수 있는 일.

함께 사는 이가 할 수 있는 일.

각자의 할 수 있는 일이 있는데,

아픔은 대신해 줄 수 없으니,

아픔을 이겨 내는 일은 내가 해야 하는 일이더라고요.

내가 해야 하는 일을 잘 해낼 때,

주변 사람들의 할 수 있는 일들이 합쳐져서

더 큰 시너지를 낼 수 있더라고요.

그래서 더욱 '내가 할 수 있는 일'에 집중했던 거 같아요.

운동도 하고, 먹는 것에 조심도 하고,

커뮤니티에 이야기를 공유하고 도움도 받았어요.

어제보다 나은 오늘.

오늘보다 나은 내일.

그리고 이제 더 이상 아프고 싶지 않다는 간절함으로

가득 했던 거 같아요.

보여주기 싫어서 병문안을 거부했던 친구들.

그리고 회사 선배의 병문안도 시도했어요.

친구들이 병문안을 온다고 했을 때, 얼마나 설레었는지 몰라요.

아주 어릴 때 부터 친구들이었던 지라,

너무 그들의 성향을 잘 알고 있었거든요.

만남이 설렌 게 아니고, 하도 왈가닥 친구들이라

병원에 쫓겨날까봐 설레었던 겁니다.

역시나 예사롭게 등장하지 않았어요.

그 당시 제가 이온음료를 엄청 좋아했거든요.

게토 레이... 요

뭐 먹고 싶냐 길래,

그저 '게토 레이'라고 이야기했을 뿐인데,

스케일 크게도 게토 레이를 세박스나 사왔더라고요.

한박스는 간호사 선생님.

한박스는 교수님과 주치의 선생님.

한박스는 제 것이라면서...

입원실 천정을 찐친으로 만들면서 이들이 꽤나 그리웠거든요.

소통하고 싶었을지도 모르겠어요.

왈가닥인 건 맞지만, 언제나 긍정 에너지를 주는 친구들.

"여기에 언제까지 있을 건데? 좀 쑤실 텐데...?"

"정신병 걸렸겠는데? 너 답지 않게... 툭툭 털고 나와!"

역시 친구들은 저를 너무 잘 알아요.

맞아요!

언제 부터 이렇게 나약 해졌을까요? 나 답지 않게...

진짜 정신병 걸린 거 처럼. 왜 그랬을까요?

이래서 친구라고 하는 건 가봐요.

어느 날은 회사 선배가 병문안을 왔어요.

이 날이야 말로 두근두근이. 두려움이었던 거 같아요.

회사를 오래 자리를 비우게 된 것도,

한 번 병문안을 못 오게 한 것도,

언제 복귀가 가능 할 거라는 질문에 답을 못한 것도,

마음을 불편하게 했던 지라....

그렇지만 저에게 회사 사람들은 귀인이니까...

이해해 주겠지의 마음으로 맞이했어요.

(선배 등장)

"잘 지냈어? 좀, 어때?"

여기까진 좋았습니다.

어쩌고...저쩌고... 의 대화들 중,

"야~!

내가 이거 찾아보니까, 더러운 사람이 걸리는 병이더라"

"좀 잘 씻어!"

"근대 이렇게 아파가지고, 회사 생활 가능 하겠어?"

....

농담이라고 하기엔 선을 넘었고,

웃어 넘기 자니 웃음이 안 나고...

이 난처한 상황을 어쩌지 했는데,

때마침,

회진 시간이라 교수님과 주치의 선생님이 등장했습니다.

그렇게 회사 선배는 떠났습니다.

"복귀하고 보자. 몸조리 잘 해."

20여년이 지난 지금도

선배의 말과 입원실의 온도가 잊히지 않아요.

분명, 입원실 천정과 대화하면서,

마음을 잘 다졌다고 생각 했는데.

수술 후 무던히 애쓰면서

이제 다 왔다고 생각 했는데,

자격지심이었을까요?

아님, 귀인이라고 여긴 사람에게 들어서였을까요?

아님, 정곡을 찔렸기 때문이었을까요?

"야~!

내가 이거 찾아보니까, 더러운 사람이 걸리는 병이더라"

"좀 잘 씻어!"

"근대 이렇게 아파가지고, 회사 생활 가능 하겠니?"

재해석 되어 들렸어요.

"이렇게 아파서 회사 생활 가능 하겠니?

그래서 진급은 하겠어?"

이때부터 였던 거 같아요.

나의 마음을 쉽게 내 주지 않게 된 게.

모든 이에게 친절하지 않게 된 게....

[그러다 지치는 날도 있죠.]

교수님 회진 때 무슨 말을 했는지 하나도 기억이 나질 않았어요.

'어안이 벙벙하다.'

이 느낌을 받았던 것 같아요.

그렇게 한참을 아무 말도 할 수 없었어요.

아픔을 맞이하고, 한없이

'왜 나한테만 이래?'

하고 생각 했던 시간들에 대해

답을 들은 거 같았어요.

내가 더러운 사람이었구나.

"그랬구나. 그랬었구나."

몸을 움직일 수 있게 되면서 너무 좋았던 나머지

한껏 세상을 다 가진 거 같았거든요.

물론, 입원실 천정과 친하게 지낸 시간들이 있었기에

더욱 좋기만 한 시간이었는데,

친구들도 만나며, 뭐든 다 할 수 있을 거 같았는데...

선배를 기다렸던 시간들...

좋은 사람을 만난다는 설레임.

뭐든 다 할 수 있을 것 같았던 내 마음이.

무너지고 짓밟혔던 시간이었어요.

아무렇지 않은 것으로 넘기기엔, 임펙이 너무 강하기만 했어요.

분명, 움직일 수 있었는데, 움직여지지 않았어요.

다시 입원실 천장과 대화하는 시간을 보내게 되더라고요.

아주 자연스럽게......

'회사에서 나를 더러운 사람으로 생각 하는 건가?'

'아파서 쉰 게 꼬리표로 달리는 건가?'

'내가 어떤 더러운 삶을 산거지?'

'내가 아프고 싶어서 아픈게 아니잖아?'

'말을 그렇게 밖에 할 수 없었나?'

'내가 지금껏 귀인이라고 생각한 사람인데... 아니었나?'

수많은 생각들에 사로잡혀서 힘을 낼 수가 없었어요.

그렇게 아주 오랜 시간 제 마음에 새겨 갔던 거 같아요.

누가 시키지도 않았는데, 혼자 그렇게 새기었어요.

'나도 잘 살고 싶었어요. 그런데 그게 말처럼 쉽지 않다고요!'

'그래도 더럽다는 표현은 좀 아니지 않아요?'

무척이나 속상했던 거 같아요.

함께 사는 이에게나.

부모님에게 말도 못하고 혼자 속앓이 했었어요.

이제 회복만 하면 된다고 생각했는데,

일상으로 곧 복귀 할 수 있었다고 생각 했는데,

선배의 말이 발목을 잡았어요.

내 마음은 잡혀 있는데,

시간은 속절없이 흐르더라고요.

시간을 되돌릴 수만 있다면 하고 생각해 봤어요.

내 [인생목표]를 포기해야 하는 순간

이전으로 돌아간다면,

누군가의 의지가 아닌

내 의지로 포기하고,

차선책을 세워 볼 텐데...

시간을 되돌릴 수 있다면,

이 병을 만나기 전으로 돌아가고 싶다.

시간을 되돌릴 수만 있다면,

선배를 만나기 전으로 돌아가서...

만남을 취소하고 싶다.

이 생각들을 아무리 해도

없던 일이 되지는 않더라고요.

<u>이 시간을 또 안고 살아내야 하더라고요.</u>

[남들은 다 행복해 보이더라고요.]

결국, 한달 여간의 입원 생활을 종료하게 되었답니다.

이 크론씨병이라는게 완치가 없는 병이라,

문제가 생긴 부분을 제거하고 몸 속 장기들을

제자리로 보내준 시간이었어요.

시간이 흘러 일상으로 돌아갈 그 날이예요.

[퇴원!] 교수님과 주치의 선생님에게

어마 무시한 약들과 주의사항 또 주기적인 외래진료까지

종합 선물 세트로 받아 들고 나왔지만, 너무 행복했어요.

해방감이 컸던 거 같아요.

퇴원하던 날.

아빠가 너무 행복하다며 맛있는 음식을 사준다고 했어요.

먹고 싶은 거 사준다고 뭐 먹고 싶냐고, 물어봤는데

"짜장면"이 먹고 싶다고 말했어요.

(면충이 = 멍충이 맞습니다)

불과 몇 분 전에 주지의 선생님이 기름진 음식은 안된다고,

했는데 말이예요.

그래도 병원에 있는 시간 동안 너무 먹고 싶었어요.

아빠가 추천해 주는 식당은 절대 맛이 없지 않다는 걸

알고 있기에...

역시 자식 이기는 부모는 없습니다.

"못먹는게 더 스트레스지! 먹자!!"

아빠는 꽤나 쿨 남이셨어요.

아빠는 '어차피 할 거라면 기분 좋게 하자'의

신념을 가지신 분이었거든요.

저는 아빠 영향을 많이 받았어요.

(그 순간) '아! 맞아!

'내가 속상해도 어차피 회사 다녀야 하니까.

그 날 선배가 무언가 안 좋은 일이 있었을 거야.

아픈 건 내 잘못이 맞지. 잊자!

시간이 지나 사과하겠지~!'

그렇게 단순하게.... 며칠 간의 고민을

퇴원길에 짜장면 먹으러 가면서 아빠의 말에서 힘을 얻었고,

그 덕에 그 시간을 잊어보려 노력했던 거 같아요.

짜장면은 그 어떤 날보다 맛 있었어요.

짜장면을 기분 좋게 먹고 나오는데,

아빠가 함께 사는 이에게 이렇게 이야기하시더라고요.

"OO 서방, 미안하네.

불량품이 갔어. 그래도 반품은 안된다네...."

맙소사!

생각하지도 못한 말이었어요.

아빠가 그간 함께 사는 이에게 미안한 마음을 가지고 있었다는 게

속상하기도 했고,

이 말을 해내기까지 얼마나 많은 시간을 고민하셨을 지...

투정 부렸던 지난 시간이 더 없이 민망했어요.

"아닙니다. 무슨 그런 말씀을 하세요." 라고 말 해주는

함께 사는 이에게 고마웠습니다. 미안한 마음도...

나의 아픈 것만 생각했고,

가족들 마음을 보지 못했었나봐요.

아니면 부모님 때문에 내가 여기까지 도피해 온 거니,

당연히 부모님은 나를 위해 희생해도 된다고 생각했었을까요?

성인이라는 타이틀을 가지고 있는 20 대의 나.

성인이지만 '어른'은 아니었나 봐요.

병원에서의 시간들을 마치고, 집으로 돌아가니 낯설었어요.

시부모님과 함께 살고 있어서 퇴원 후,

회사생활을 다시 함에 있어서 도움을 많이 받았어요.

출근 전, 후 시어머님이 건강식으로 챙겨 주시는 밥.

그제서야.

어른들이 이야기하는 집 밥의 힘을 느끼게 되었던 것도 맞아요.

하지만, 모든 것들이 다 만족스러울 순 없었어요.

퇴원을 축하해 준다고 모인 식구들을

제 의지와는 상관없이 마주해야 했어요.

시부모님과 함께 살고 있기에

감내해야 하는 것들 중 하나였던 것 같아요.

친구들이 "힘들겠다"라고 말한 것들을 그제야 하나씩

경험하게 되었던 거 같아요.

병원에서 가만히 누워있을 수밖에 없던 시간들.

부모님이 함께 사는 이에게 미안하다고 이야기하는 모습을 보며

마음 아팠던 순간.

회사 선배의 방문으로 너덜너덜 해졌던 제 마음은 안중에 없고,

그저 퇴원이라는 결과만이 저를 반겨 주는 것 같았어요.

식사자리에 식구들이 준비한

술과 삼겹살은 더없이 이기적으로만 느껴지기도 했고요.

우리 엄마, 아빠는 더 챙겨주지 못하고 시댁으로 보내는

불편한 얼굴이 역력했는데,

시댁 식구들이 만들어준 식사자리는 그들 만을 위한

축제인 것 같았다고 나 할까요?

물론, 의도를 올바르게 바라보지 못하는 이유는

삐딱한 제 마음 때문이었을 겁니다.

"올케~!

우리 엄마,아빠가 너무 걱정 많이 했어.

그동안 잘 지냈지? 완치되서 참 다행이다"

이런 말들이 정확히 나를 위한 멘트가 아니라,

형식적인 멘트라고 들리지 않았더라면 좀 나았을까요?

모든 부모님의 마음은 같을 거고,

그동안 잘 못 지냈고, 완치는 없는 병이라서...

<u>그저. 그동안 각자의 시간을 보내다가</u>

<u>오랜만에 만난 정도의 감흥이라고 나 할까요?</u>

지난 한달이 넘는 내 시간은 희.노.애.락 중

<u>**노. 애의 연속**</u>이었는데,

다른 사람들의 시간은 그렇지 않았나 봐요.

그저 그런 같은 일상 들의 반복.

그렇게 또 시간은 흐르더라고요.

유쾌하지 않은 식사모임이 끝났고,

회사로 돌아가는 날을 위해 잠이 들었어요.

회사로 돌아간다는 생각에 조금 걱정도 되었던 거 같아요.

무한 질문들이 쏟아져 나올 거란 걸 알았으니까.

평소 일어나던 시간보다 빨리 깼어요.

오랜만에 돌아가는 날이라,

아픈 모습 보이기 싫어서 화장도 곱게 했던 거 같아요.

사무실에 도착한 첫 날.

병원에서 집에 돌아가던 첫날처럼 회사에서도 낯 설음을 느꼈어요.

선배와의 면담이 시작되었고,

기다렸던 질문 폭격을 받게 되었답니다.

"일은 할 수 있는 게 맞아?" "상태가 어떤데?"

"병원은 얼마나 자주 가야 해?" "조심해야 하는 건?"

등 등 등.

이 정도는 예상했던 거라... 대수롭지 않았어요.

업무를 시작하려고 책상에 앉았는데,

쉬었던 기간 동안 내려온 지침들.

새로 진행되는 것들. 어마어마 하더군요.

회사 동료가 잘 지냈 느냐는 인사와 한숨으로 맞이했어요.

"어흐~ 뭐 이렇게 많아?"

"그러게 누가 아프래? 인원 부족해서 혼났어."

....

행복해야 할 지난 시간들을 과도한 업무로 시달렸다고

해석되어 들렸어요.

나는 너무 괴로운 시간이었는데,

가족들도. 귀인이라 생각했던 회사사람들도.

일상인 그 여느 날이었더라고요.

그 일상속에 찬물을 끼얹은 1 人 이 된 거 같았어요.

휴게공간에선 다른 동료들이 삼삼오오 모여,

커피를 마시며 담소를 나누고 있었어요.

해맑은 미소를 모두 장착한 채로....

투명인간이 된 거 같았어요.

내 감정. 내 상황은

당연히 감내해야 하는 내 몫.

 누구도 나를 알아봐 주지 않는 지난 내 시간들.

이렇게 버텨내야 하는 시간들이

겁이 나기 시작했어요.

어제까지 느끼지 못했던 통증을 느꼈어요.

가슴이 답답했고,

언제 끝날지 알 수 없는 이 느낌들에

정신이 혼미 해져 갔어요.

모두가 행복한 일상을 보냈구나...

또 나에게만 슬픔이 온 거 였구나...

3장
잘 살고 싶은데..

대부분의 사람들이 고요한

절망 속에서 인생을 살아간다. [소호]

[나만 빼고 다 잘 살고 있는 것 같아요.]

그렇게 시간에 맡겨 보기로 했어요.

되돌릴 수 없는 시간이라는 것을 너무 잘 알기에...

생각보다 회사생활은 학생때와는 또 다른 세상의 모습이었어요.

공부하던 때는 그저 연습일 뿐,

현실은 책과는 또 다른 세상이더라고요.

어느 날은 선배에게 인격테스트를 당하기도 하고,

또 어느 날은 연거푸 해대는 실수에

눈칫밥을 먹기도 하고,

또 어느 날은 그저 평범한 일상을 마주하기도 했어요.

점차, 그 시간들에 익숙해지던 어느 날.

발령을 받게 되었어요.

이동한 곳에서 새롭게 시작할 수 있을 거란

희망을 가졌던 거 같아요.

'아픈 아이'에 대한 편견에 여간 불편했거든요.

'새로운 곳에 가면 나아지겠지.'

'새로운 사람들을 만나면 나아지겠지.'

기대와 희망을 갖게 되니?

그저 그런 일상이 왠지 더 즐거웠어요.

'이번에 만나는 선배에게는 부디 잘 보여야지!'

다짐했던 거 같아요.

'뭐라고 인사하면서 들어가지?' 고민도 하고,

빈 손으로 가지 말아야지 싶어서, 잘 보이고 싶은 마음을 가득 담아

비타민 음료도 준비해서 갔답니다.

발령 후 첫 출근 날.

"너가 걔 구나..."

인사를 하기도 전에.

저를 이미 알고 있다는 식의 인사를 먼저 받아 버렸어요.

버퍼링이 걸려 버렸어요.

'뭐라고 답해야 하지?'

'저 인사에 함축된 의미가 뭐지?'

"네? 아... 안녕하세요!"

오랜 시간 지체할 수 없어서 부지런히 인사를 했지만,

그 짧은 시간 머릿속은 온갖 생각이 다 들었습니다.

"이제 안 아프니?"

발령장을 받고 나서 일말의 희망을 가지고 있던 기대감은

저 멀리 떠나버린 것 같았어요.

'역시 이 회사는 꼬리표를 떼어낼 수 없는 것일까?'

선배들이 늘 상 하는 말이 있었거든요.

"우리 회사는 소문이 엄청 빨라.

오전에 무슨 일이 생기거나 말이 나오면,

오후면 부산. 제주도 동기에게 확인 전화가 오는 조직이지!"

뭐, 대수롭지 않게 듣고 흘렸던 말이었는데,

유독 와닿았던 날이었어요.

"네? 아... 네네 괜찮아요."

대답은 해야 하니 다급히 말은 했지만,

불편한 마음이 얼굴로 들어나 버렸어요.

저는 표정관리가 잘 안되었던 거 같아요.

게다가 눈매가 날카로운 탓에 말을 안하고 있으면,

오해 받기 일쑤였어요.

그렇다고 감정을 숨길 수 없는 노릇이니까...

"잘 지내보자." 라고 하는 선배의 말에

"네" 라고 대답은 했지만,

날카로운 눈매를 가진, 웃음 끼 하나 없이 표정 관리 못하고,

멀뚱히 서 있었던 거 같아요.

'앞으로 일 열심히 해서 무탈하다는 걸 보여주면 되지 뭐.'

'내 할 일만 잘 하면 되지 뭐.' 싶다 가도.

나의 회사생활이 이렇게 자리매김하면 안되는데……

꼬리표처럼 계속 달리면 안되는데...

복합적인 감정이 계속 머릿속을 지배했어요.

친구들한테 혹은 동기에게 연락해서

속상한 마음을 토로해 볼까 싶어,

핸드폰을 한참을 바라보았는데...

이 친구는 수업 중일 것 같고,

이 친구는 과외 중일 것 같고,

이 동기는 업무 중일것 같고,

이 동기는 쉬는 날일 것 같고.

그러다 결국은 함께 사는 이에게 전화했어요.

"나... 인사도 하기 전에... 너가 걔 구나! 이러는데 속상했어.

나 완전 찍힌 거 맞지?"

함께 살던 이가 같은 회사 선배였던 지라.

"그냥. 아팠던 거 사내게시판에 떠서 그럴 꺼야 신경쓰지마."

"그...런가? 그런 거겠지?"

"근대 나... 기분이 안 좋아."

"괜찮아. 이따 끝나고 조심히 와"

"아... 어... 알겠어."

그럼에도 신경 쓰이기는 마찬가지였어요.

답답한 마음에 친구에게 전화를 해봅니다.

"어~!!

무슨 일이야? 급해?

나 곧 수업 들어가야 되는데...

출결 해 놓고 전화해도 될까?"

"아... 어... 아냐아냐?

그냥 전화했어... 들어가~"

이번엔 동기에게 전화해 봅니다.

"어... 출근했어? 거기 왕 선배인데 괜찮아?"

"아... 어... 뭐해? 통화 돼?"

"나... 지금 밥 먹으러 나왔는데, 밥 먹고 전화해도 될까?"

"아... 어... 아냐 아냐.

밥 먹어... 그냥 전화했어... 맛있게 먹어."

그 이후 용기내 전화했던 또 다른 친구는

해외 여행중이라고. 국제전화라며. 다급히 전화를 끊게 되었습니다.

다들 즐거워 보였어요.

다들 바쁘구나.

나만 괜히 생각이 많은 건가?

내가 너무 예민하게 구는 건가?

생각들이 많다 가도 일을 하고 있으면

또 괜찮아 지기도 하고, 퇴근길이 되면 또 다시 생각이 들었어요.

"왜 나만 순탄치 않은 것 같지?"

어둠이 드리워진 한강을 지나는 지하철 안에서

과거의 [인생목표]가 생각 났어요.

'아! 내가 보고 싶었던 한강의 모습은 이 공간이 아니었는데...'

[밤새 촬영한 후, 여의도 사무실에서 편집 작업 도중,

한강을 바라보며 새벽녘을 커피와 함께

맞이하는 구체화된 꿈]을 꾸었었는데...

어제보다 나은 오늘이 될 줄 알았는데...

나의 오늘은 어제와 같을 수밖에 없는 건가?

내일은.

더 나아질 수 있을까?

생각을 멈추라는 듯 함께 사는 이에게 메세지가 왔어요.

"어디야? 역으로 마중 나갈께. 오고 있지?"

어느 포인트였는지 모르겠는데...

함께 사는 이에게 연락을 받고는 눈물이 차 올랐어요.

울지 말아야지. 울지 말아야지.

아파서 괜히 나 혼자 예민한걸꺼야.

자격지심일 꺼야. 아픈 건 사실인데 뭐,

나만 아프고, 나만 슬프고, 나만 왜 이래?

내가 이렇게 나약했나?

[시도하기 무섭고요.]

시간이 흘러 갔어요.

그렇게 회사에서의 시간들도 익숙해지고,

몇 번의 발령을 더 받기도 했어요.

발령 때 마다 느끼는 감정들은 별반 다를 바 없었어요.

다만,

발령 때 느끼던 감정들에 무뎌 지기 시작했어요.

이동을 통해서 새로운 시간을 시작할 수 있을 거란

생각은 없어지게 되었고,

새로운 사람과의 만남에 대한 첫. 인. 사.

"너가 걔 구나"에 대해서도 익숙해져 갔어요.

인식에 대해 배우게 된 것 같았어요.

한번 정립된 생각을 바꾸는 건 쉽지 않구나.

어쩌면 어른이 된다는 건.

숱한 불편한 마음들에 조금씩 적응해 가고,

그 시간들이 대수롭지 않게 여겨지는 게 아닐까요?

그래서,

어쩌면 더욱 차갑게 회사 사람들을 대하고 있었는지도

모르겠어요.

관계를 맺음으로써 받게 되는 상처들이 두려웠기에...

시간이 지난 만큼 회사에서의 직책도 바뀌었어요.

지긋지긋하다 싶다 가도

또 어느 날은 일상 속 평범함에 감사하기도 하면서요.

함께 살던 이.

그리고 저에겐 세 아이가 함께 한 시간들 속에서

더 단단해져 갔어요.

출산을 통해서 제 희귀병은 여러가지 경우의 수 중

더 나아진 케이스로 자리매김했고,

정기적으로 병원을 가지 않아도 될 만큼 건강 해졌어요.

당연히 약을 먹지 않았고요.

약을 먹지 않게 된 건 임신을 하면서 였던 것 같은데,

첫째와 둘째의 터울이 15 개월.

그러다 보니 자연스레 단약이 되었던 거 같아요.

첫째가 태어나면서 부터는 아름답게 포장되어 분가를 하게 되어,

조금은 가족모임에서 자유로워지긴 했으나,

워킹 맘 인지라 도움을 받지 않을 수 없어서 완벽한 거리두기를

이루진 못했어요.

임신과 출산의 반복 속에서도. 회사를 다니는 그 순간에도.

쉴 새 없이 무언가를 배우기도 하고,

그 시간속에서 할 수 있는 최선을 다 했던 거 같아요.

가족이라는 단어안에 회사가 포함될 만큼

어느새 익숙한 울타리이기도 했어요.

적어도 저 에게 만큼은 요.

꽤나 많은 오해들도 받았던 것 같아요.

물론, 제가 실수한 부분도 많았지만.

하나 확실한 건 조직이라는 곳은 경험해 볼만한 곳은 맞지만,

참 다양한 사람들이 모이는 곳이고,

그 울타리 안에서는 '인식'은 절대 불변이다.

그러므로 올인은 안된다. 라'는 것!

다 잘해내고 싶었어요.

아내 로서의 나. 엄마 로서의 나.

직장인으로 서의 나. 자식으로 서의 나.

며느리 로서의 나. 듬직한 언니 로서의 나.

성향 탓 일수도 있었겠지만,

사내커플은 한 명이 실수하면, 또 다른 한 명이 세트로 묶여져서

하나인 것으로 이야기를 하기에,

함께 사는 이에게 피해를 주고 싶지 않았던 것 같기도 해요.

그래서 더욱 부족함 없이 일을 해내려 했기도 했어요.

아이들에게 부끄럽지 않은 엄마이고 싶기도 했고요.

적어도 업무 에서만큼은 책 잡히는 일 만들고 싶지 않았거든요.

이거 완벽주의 맞아요.

강박일까요?

그 어느 날 동료들에게 꽤나 신 박한 어플을 소개받게 되었어요.

직장인이라면 이젠 누구나 알법한 앱 이예요.

블라인드.

각 회사 별로 익명으로 글을 남길 수 있는 곳이예요.

이 어플을 전해 듣게 된 건 친한 지인의 이야기가

개제되어 조금 더 관심 있게 봤던 거 같아요.

내용인 즉 슨.

'술을 먹고 유부남과 모텔에서 나왔다더라' 의 내용이었어요

사실 여부를 떠나서 그 순간만큼은 "정말?" 하고,

저 또한 믿었던 거 같아요.

아무래도 내용 자체가 자극적인 탓이었던지,

꽤나 빠르게 조회수도 늘어났고, 댓글도 엄청 났어요.

말이 옮겨 지는 속도도 빨랐어요.

게다가 말이라는 게 더하기 빼기가 되어 와전되기도 했어요.

지인에게 연락을 해볼까 싶다 가도,

무슨 말을 어떻게 해야 할지 모르겠더라고요.

어쩌면 어떤 말을 해야 할지 모르겠다는 건 핑계일수도 있어요.

'나 또한 내가 알지 못하는 지인의 다른 모습이 있나?'

하고 믿고 있었을지도 모르겠어요.

다수의 힘이란 게 이런 건가 봐요.

그런 고민의 시간이 흐르며 정말 연락해야 하는 때를 놓쳤던 거

같기도 해요.

그러던 어느 날 그 지인에게 연락이 왔어요.

"나. 그만 두려고..." 아차 싶었어요.

친하다고 이야기하면서 저도 어느 새인가 다수의 말에 동화되어

지인에게 선 긋기를 하고 있었나 봐요.

오롯이 믿어줬어 야 했고, 함께 했어야 했는데....

"미안해..."

할 수 있는 말이 이 말 뿐이었어요.

그들의 말을 믿은 것도 미안하고,

분명 이 이야기들 속에 속상해하고 있었을 텐데,

연락 한번 하지 못한 것에도 미안하고,

친하다고 이야기하면서도 정말 힘들 때 옆에 있어주지

못한 것도 미안하고.

"사람들이 참 나빠. 나만 아니면 된다고 생각 했는데,

사실 여부는 묻지도 않고 그 글 하나에

나를 쓰레기를 만들었어.

내가 그동안 이 곳에서 쌓아온 시간이

헛 된 것이라는 생각이 들더라.

회사라는 집단에 회의감이 들어. 그만 할래. 잘지내."

이 말을 전부다 이해할 수는 없었어요.

그렇게 떠나 갔어요.

그 이후에도 앱은 다양하게 많은 사람들을 아프게 하기도 하고,

떠나가게도 했어요.

물론, 좋은 점도 있었어요.

정말 문제가 되는 것들에 눈치보고 말하지 않아도 되었고,

회사 내부적인 문제점들에 개선되는 창구가 되기도 했으니까요.

그 대상이 제가 되기 전까지는 저 또한 자주 들여다봤던 거 같아요.

그러다 저 또한 대상이 되는 날이 왔어요.

"이혼을 했다더라 그 사유가 다른 남자의

아이를 키운 게 남편에게 걸렸다"

이 이야기 또한 굉장히 자극적인 탓에 조회수가

어마어마 했고, 댓글도 굉장 했어요.

댓글에는 "그럴 줄 알았다" 부터 시작해서

"애 엄마가 술 먹고 다니더니 잘 하는 짓이다"

" 남자를 밝히더라" " 페미니즘이더라" 등등의

댓글들이 달렸어요.

지인의 이야기가 아닌 내 이야기가 되니 매우 당황스러웠어요.

"이런 기분이었구나!"

아내 로서의 나. 엄마 로서의 나.

직장인으로 서의 나. 자식으로 서의 나.

며느리 로서의 나. 듬직한 언니 로서의 나로

부끄럼 없이 살고자 했는데, 이 치욕스러운 글은 뭐지?

'내가 다정하게 말하진 못했던 탓인가?'

'내가 만만한가?' '너무 단단하기만 했나?'

'함께 사는 이가 난처해질 텐데...'

'아이들 에게 한 점 부끄럼 없는 엄마이고 싶었는데...'

동료들의 눈빛이 날카롭게만 느껴졌어요.

안정적이고 평화로운 시간을 보내고 싶었을 뿐인데...

내가 지금 이 시간을 잘 이겨 낼 수 있을까?

내가 정말 그 상황이 되지 않으면,

모든 것을 이해할 수 없더라고요.

조직은 가만히 있어도

알 수 없는 일들이 발생하기도 해요.

이유 없이....

<u>그냥! 그런 일이 생기기도 하더라고요.</u>

출처가 명확하지 않은 카더라에 휘말리게 되기도 하더라고요.

다시 일어날 수 있을까?

말이라는 게.......

한 사람을 완전히 망가뜨릴 만큼 파괴력이 있다는 걸.

이들은 알까?

무한 주문을 걸어 보았어요....

"괜찮아. 괜찮아."

[이게 맞나 싶기도 한데 방법을 모르겠더라고요.]

'나만 아니면 되지!'

'굳이 신경 쓰지 말자!'

하는 생각들을 하루에도 수십 번 대뇌였어요.

이것에 반응하면 그 글을 쓴 이가 원하는 모습대로

무너져 버리는 거 같다는 생각을 했어요.

그가 누구이든지 간에.

그저 나만 당당하면 되고, 나만 아니면 되고.

하지만,

함께 사는 이에게 이런 루머가 발생된 것에 대해서는

매우 미안한 일이었어요.

어떻게 말을 꺼내야 하나 고민했어요.

그런 고민의 시간을 알고 나 있는 듯,

함께 사는 이가 먼저 말을 꺼내 왔어요.

"너무 신경 쓰지 마. 원래 말 많이 지어내는 거 알잖아.

우리만 그게 아니면 돼. 그냥 평소대로 지내면 돼.

그들이 원하는 모습 대로 살아가지 말자!"

다른 사람들의 말을 아주 신경 쓰지 않았다면 거짓말이었을테죠.

그럼에도 가장 신경 쓰이는 건 함께 사는 이었어요.

무척이나.

그 시간들이 무색해질 정도로 정말 '어른'이구나를

또 다시 느끼게 해 주었어요.

울컥한 마음 부여잡고 "고마워" 라는 말만 남긴 채.

지금 상황에서 집중할 수 있는 다른 것들을 찾기 시작했던 거 같아요.

어쩌면 가족이라는 울타리 안에 [회사]라는 조직을 포함해 두었던

탓에 더욱 이 일이 자극제가 되었을 수 있어요.

이 시간이 [회사]는 가족이 될 수 없는 곳이라는 것을

느끼게 해주기도 했고요.

아이들 출산 전, 후로 하고 싶은 것들을 제법 많이 했었어요.

서비스 강사 자격증을 받아 두기도 했고,

풍선아트나 페이스페인팅 지도자 자격증을 따기도 했고,

웃음 치료사, 레크레이션 강사 자격증을 따기도 했어요.

누군가는 육아에 소홀히 한다고 생각할 수도 있겠지만,

'나'라는 존재를 육아와 직장인, 경단녀로

만들어 내고 싶지 않은 마음도 있었어요.

첫 블라인드 대상자가 된 이후에도 또 다시 집중할 무언가를

찾았던 거 같아요.

이 때,

엄마와 지인 도움으로 작은 가게를 운영할 기회가 생겼어요.

"그래!

내가 원했던 건 어제보다 나은 오늘을 살고 싶었던 거야.

남들의 말에 동화되지 말자!"

또 그렇게 다짐을 하고 열의를 다했어요.

집중할 것이 생기니 블라인드에서의 일이

제 마음속에서. 머릿속에서. 크기가 매우 작아져 갔어요.

하지만, 세상에 쉬운 일은 없더라고요.

직장인.

세 아이의 엄마가 가게를 운영하기에는 역부족이었어요.

그때 부 터였던 거 같아요.

뭐든 시작은 늘 설레임이 가득하지만,

내가 원하는 대로만 이루어 지지 않으니....

조금씩 세상에 나를 맡기기 시작한 게요.

운영은 하고 있지만 온전히 모든 시간을 내어줄 수 없었고,

아르바이트 직원을 두게 되었는데,

제대로 된 관리가 되지 않았어요.

쉬는 날엔 내 아이들 보다 가게에 신경을 쓰게 되니,

아이들에게 미안해졌어요.

지인의 도움을 받은 탓에 더욱 잘 해 내어야 했고,

엄마에게도 마찬가지였는데....

모든 일을 함께 해 내는 건 역시나 쉬운 일은 아니었던 거 같아요.

딱 하나!

회사에 대한 마음만큼은 예만큼 신경 쓰이지 않았어요.

좋은 건 오로지 그거 하나뿐이었어요.

집안 일도, 내 아이들도.

운영을 돕고 있는 가게도.

모.든.게.

나의 마음만큼 애정을 전부 쏟지 못하게 되었어요.

부쩍 함께 사는 이의 불만도 매일 같이 듣기 일쑤였죠.

물론, 아이들을 봐주시는 시어머님의 표정도 좋지 않았어요.

관리가 되지 않으니 당연히 매출도 한계점이 생겼고,

찾아주던 사람들도,

아르바이트 직원들도 불만이 생기기 시작했어요.

모든 게 엉망이 되어 버린 거 같았어요.

'내가 원했던 게 이게 맞나?'

새로운 기회가 찾아왔고, 그 기회를 잘 잡고 싶었고,

그 언젠가부터는 장기 목표보다는 단기 목표를 세워서

살아가고 있다고 생각했었는데...

그저 내가 원했던 건 안정적인 삶이었던 거 같은데,

'왜 회사에서도 나는 말도 안되는 루머에 휘말리고,

내 가정도. 내 아이도. 새롭게 온 기회도.

어느 곳 하나 맘에 드는 곳이 없지?'

'이렇게 사는 게 맞는 건가?'

'내가 지금 제대로 가고 있는 건가?'

'매 순간 최선을 다 했다고 생각 했는데,

내가 보내왔던 이 시간들은 잘못된 것일까?'

'이렇게 살아도 괜찮은 건가?'

결국, 운영하던 곳이 매 순간 최선을 다 했다는 말과는

상반된 결과를 가져왔어요.

임대료를 내지 못하는 상황.

아르바이트 직원의 임금을 주지 못하는 상황.

이 상황들은 곧 도움을 준 지인과 엄마에겐

'실패했다'라는 답을 주는 것 밖에 되지 않았죠.

그렇게 운영을 못하게 되었습니다.

자존감이 무너졌던 거 같아요.

최선을 다했다고 이야기하지만,

과정이 중요하지 않은 처참한 결과가 나온 순간이니까요.

괜스레 지인과 엄마.

함께 사는 이 모두에게 불편함만을 남긴 채 끝이 났죠.

자영업을 쉽게 생각한 적은 없지만,

뭐든 내 마음을 분산시켜서 사용하는 것은

결과가 좋지 않을 수밖에 없다는 깨달음을 주었어요.

이미 시간은 흘러 버렸고, 상황은 벌어졌고,

결국 돌아갈 곳은 회사뿐 이었어요.

마음에 스트레치를 그리 받아 놓고도,

결국 돌아갈 곳이 회사였기 때문이었는지

그럼에도 감사했던 거 같아요.

작은 가게를 운영하며 그 시간만큼은

회사와 거리두기를 할 수 있었으니 소중함을 느끼게 된 것도

맞는 거 같아요. 속상하기도 했고요.

지인과 엄마에게도.

잘 해내는 모습으로 보답하고 싶었는데 그러지 못했으니까요.

안정적인 삶.

평범한 하루를 살아내는 게 이리도 어려운 일이었어요.

결국 안정적인 삶을 위해 회사와의 거리두기를 종료했어요.

이게 맞는 거니까.... 이게 맞는 거겠죠?

가정과 세 아이들의 엄마

그리고 직장인으로만 살아 내기에도

버거운 삶이니.

한 곳에만 집중하는 게 맞는 거겠죠?

아무 일도 하지 않으면 아무 일도 일어나지 않는다는 말.

그 말이 재해석 되었어요.

그래! 아무 일도 하지 말고, 아무 일도 일어나지 않게끔

그렇게... 그게 방법인 거겠다!!!!

하지만, 조금씩 불안감은 커져 갔어요.

나는 아무것도 할 수 없는 사람인 것 같았거든요.

될 사람은 뭘 해도 되고,

안 될 사람은 뭘 해도 안되나 봐요.

잘 살고 싶었을 뿐인데.

불안감과 내 자신에 대한 노여움만이 자꾸 생겨요.

이게 맞아? 라고 묻는 내 질문에...

당당하게

이게 맞아! 라고 답하고 싶은데......

나만 뭐든 안되는 거 같고,

시간이 헛 되게 보내지는 거 같고,

그 어느 곳 하나 맘에 드는 곳도

마음 둘 곳도 없었어요.

엇갈리기만 하는 상황들.

한숨만 나오더라고요.

잘 사는 게... 대체 뭘 까요?

[내일이 오지 않기를 바래 보기도 합니다.]

24시간을 온전히 보내는 것이 이토록 어려운 일인줄 몰랐습니다.

그 누구보다도 24시간을 쪼개고 쪼개어

최선을 다 했다고 생각 했어요.

그러다 지쳐 쓰러지는 날에는 너무 유치하지만,

내가 잠을 자지 않으면, 내일이 오지 않을 거란 허황된 상상속에

잠을 거부하기도 해봤습니다.

시간은 야속하게도 흘러 가더라고요.

온갖 세상 근심 걱정을 모두 안은 채 로요.

현실에서 회피하고 싶은 마음에 술을 잔뜩 먹고 잠에 드는 날이면,

더 없이 밤은 빠르게 지나기만 했습니다.

내 마음도 몰라주고,

속은 아프고 정신은 '아차차' 싶기도 하고요.

결국. 시간은 저를 기다려 주지 않았습니다.

그 누구에게나 똑같이 부여된 시간 이란 걸

또 뒤늦게 깨 달아 봅니다.

내일이 오지 않으면, 마주해야 할 격정들에게서

피해 갈 수 있을 거라 생각 했습니다.

해결되지 않는 내 범주 밖의 일들을

마주하지 않아도 될 것이라 생각도 해 봤습니다.

오늘을 보내 주기 싫은 마음에

제법 다양한 일들을 하면서 보내 보기도 해봤습니다.

결국, 시간은 속절없이 흐르기만 하더라고요.

마주하고 싶지 않은 일도 마주해야만 했고,

보고 싶지 않은 사람을 마주해야만 했고,

해결되지 않는 내 범주 밖의 일들을

다시금 끄집어 내어 고민해야만 하는 시간이었습니다.

절대 피해 갈 수 없는. 나를 옳아 메고 있는 시간들.

하지만

모든 걸 나 혼자 해결하려고만 하면,

더욱이 멀어지고 힘들어지기 마련 이더라고요.

물론,

그 대상이 누구든 이야기를 하고 풀어 내는 것만으로

도움이 될 수도 있었겠다 싶지만,

부정 에너지를 굳이 나누고 싶지도 않았습니다.

그만큼!

사람에게 상처를 받아왔기 때문이겠죠?

여기서 아이러니 한 게,

다시 사람으로 위로 받고, 다시금

시간을 멋들어지게 보내 보자는 희망을 받았다는 겁니다.

그 대상이 내가 생각지도 못한 사람이기도 했어요.

믿었던 사람에겐 뒤통수를 맞을 지 언정,

전혀 생각지도 못한사람에게 위안을 받는다는 것만큼

신기하고 신비로운 일도 없지 않나 싶습니다.

물론,

이런 과정들이 습관이 되면 안되겠죠!

작은 일에 연연하며 스스로 큰일을 만들어 내고,

자립하지 못한 채로,

그 누군가에게 의지하려고만 하지 않아야겠지요.

그렇게 위로와 위안의 시간이 지나고 나면,

나에게 주어진 24시간이 세상 짧게만 느껴 지기도 하고,

'내일은 또 무슨 일들이 나를 반겨 줄까?'

하는 기대와 희망이 생겨 나기도 하더군요.

내일을 거부하며

하늘로의 초대를 스스로 자청했을 때도 있었습니다.

그 시간 속 결론을 먼저 말씀드리자면

정말 많이 후회했습니다.

저는 장기기증, 조직기증 희망 등록자입니다

여러 번의 하늘로의 초대를 응하고,

나 자신을 사랑하고 아끼며 살아 내야 겠다는

나와의 약속으로 신청했습니다.

신청을 하고 나니 신분증 하단에도 명시되어 나오더군요.

자주 꺼내어 내미는 신분증은 아니지만,

신분증을 꺼내어 볼때마다 보여지는 그 장기, 조직 기증 희망자.

징표를 보여 다시금 다짐하기도 합니다.

<u>어제보다 나은 오늘.</u>

<u>오늘보다 나은 내일을 위해</u>

<u>내가 할 수 있는 것에 집중하고,</u>

<u>'나' 자신을 먼저 사랑하자고요</u>

어쩌면,

이런 탓에 더욱 버텨내려 했던 거 같습니다.

세상에 살고 있는 수많은 사람들 중.

불과 몇명의 이야기가 나의 인생을 단정 짓는다?

그 들의 이야기로 내가 만들어 진다?

이것만큼 억울하고 허탈한 것도 없는 것 같습니다.

나 자신도 나를 알기 위해 매일 같이 무던히 애쓰는데,

얼마나 본인 자신에 대해 잘 알기에

함부로 상대를 평가절하하며 무너뜨리는

그들의 심리는 대체 무엇일까?

꽤나 오래 도록 고민해 봤는데....

이 또한 결론은 <u>그냥. 그들은 그런 사람입니다.</u>

<u>남을 끌어내리며 스스로의 위안을 찾는 그런 사람이요.</u>

그들의 이끌림에 힘입어,

나 자신을 내려 놓는 선택을 하지 않기를 바랍니다.

그 누구보다도 존중 받아야 마땅하고,

그 누구보다도 어제보다 나은 오늘.

오늘 보다 나은 내일을 위해

무던히 그들보다 더욱 열심히 살아내는 '나'이기에.

불과 몇명의 이야기들로 나의 그간의 노고를

스스로 묵사 시키는 선택을 하지 않기를 희망합니다.

내일이 오질 않기를 바라는 마음은

삶에서 몇 번이고 다시금 찾아오겠지만,

그 시간들이 결코 행복한 시간이라 확언할 수도 없지만,

하나 확실한 건.

그 시간으로 하여금 '나'는 성장하고 있으며,

'나'는 분명 어제보다 나은 오늘을 살아낼 것이기에

'나'를 믿고, '나'를 존중해 주며,

'나'의 선택을 절대 의심하지 말고,

더욱 잘 될 것이라

더욱 행복할 것이라

더욱 일이 잘 풀릴 것이라 믿으며, 긍정 확언하셨으면 좋겠습니다.

내가 나를 사랑할 때,

그 어떤 시련과 고통도 해결해 나갈 수 있습니다.

지금, 이 순간의 시간도

누구에게나 똑같이 부여되는 시간이더라고요.

어제 보다 나은 오늘.

오늘 보다 나은 내일의 답은

내 안에 있습니다.

찰나의 순간이

어느 순간 나를 지배합니다.

오직 그 것만이 더이상 나를 더 힘들게 하지 않을 것이라,

단정 지으며......

열심히 계획 했음에도

결국, 실패로 끝날 때의 허망함은....

"그래, 난 아직 죽을 때가 아닌가 보다.

더 쓰임 받기에 충분한 자격이

있는 사람인가보다." 하는 생각이 들더군요.

 물론,

"에잇! 또 실패했어. 내 삶인데….

그게 싫다는데 이것조차 이렇게 안되냐?" 싶기도 했습니다.

안 했다면 거짓이겠죠.

장기기증 신청까지 해 놓고 나서야.

원치 않는 병으로 삶의 귀로에서 힘들어 하는 분들을 보고 나서야.

나의 삶이 우선임을 깨닫게 되더라고요.

하지만,

<u>야속하게도 그런 찰나의 순간은</u>

<u>잊을 만하면 꼭 한번씩 다시 찾아오더라고요.</u>

4장
또 다시 반복 됩니다.

할 수 있는 것에 집중하고,

할 수 없는 것을 후회하지 말라. [스티븐 호킹]

[실패를 맛보고,]

기어코 회사에 다시 집중을 하게 되었어요.

원래대로 돌아온 것뿐인데 헛헛함은 이루 말할 수 없었어요.

그래도 다시 살아내야 하는 게 현실이니까.

잠시 외도를 했던 시간이 있었지만,

회사일에 완전히 손을 뗀 건 아니었던 지라,

그렇게 회사에서의 재직 기간은 적립되어 갔어요.

잠시 내 마음만 거리두기를 한 것이니까.

늘 그렇듯 회사는 같은 자리에 있었어요.

변함없이 늘 그 자리에.

그들의 시간은 나와는 다른 시간이 가고 있었을 뿐!

약간의 환경의 변화가 필요하다고 생각했을 무렵이었는데,

때마침 발령이 났어요.

무덤덤해진 앞선 발령의 시간들.

오랜만에 느껴보는 설렘이었어요.

영업 현장이다 보니 발령이 나면 출근해야 하는 사무실이

행정도시가 바뀌기도 했거든요.

분산되어 있던 마음도 제자리를 찾아 갔고,

잠시 거리두기 했던 시간들 덕분인지 회사일이 더욱 재미 있었어요.

지난 시간들 속에 회사사람들에게 차가워졌던 마음들도

조금은 바뀌었던 거 같기도 해요.

차가운 마음이 따뜻함으로 변하기 시작하니까!

가까워져 오는 사람들이 생기더라고요.

사실. 조금 무섭기도 했어요.

'또 이렇게 순간의 친절함에 속아

내가 또 다시 상처를 받지는 않을까? '

머리를 쓰면서 사람을 대하는 것만큼 피곤한 일도 없더라고요.

'이 사람은 나를 해치지 않을까?

이 사람은 나에게 상처를 줄까? 안 줄까?'

이런 고민들로 사람을 구분 짓는 것도

물론 앞선 시간들 속 상처의 결과물 일테지만,

수학 공식처럼 루트는 3.14 이다.

"너는 회사사람이라 상처주는 사람이야." 라고

공식화하고 싶지는 않았던 거 같아요.

적어도 그 당시만큼은.

그저 그렇게 내 마음이 가는 대로 하자!

그런 마음 때문인지 혹은 불의를 보면 못 참는 탓 때문이었는지,

업무적으로 할 말을 해서였던 건지 직책이 바뀌었어요.

진급의 기회가 온 것이기도 했어요.

어린 나이에 입사했지만, 아프기도 했고, 결혼도 했고,

출산 휴직의 시간이 있던 탓에

동기들 보다 진급이 늦어서 매번 속상 했거든요.

늘 최선을 다하고 있는데 왜 나만 외면당해야 하나?

엄마, 아빠가 결혼한다고 했을 때 말렸던 것들이

결혼한 여자에 대해 이런 부당함 때문이었을까?

숱하게 고민했던 시간들.

좀 나아가는가 싶으면 꼭 초를 치는 일들이 발생했고,

그래서 좀 벗어나 보려 다른 부서에 지원해도

'너는 안돼' 를 늘 듣기 일쑤였는데....

드디어 기회가 온 것이구나!

앞선 모든 시간들에 대한 보상이라도 받는 것 같았어요.

월급도 더 나아질 테니, 이게 <u>진정한 금융치료라는</u> 거겠죠?

새로운 환경. 새로운 보직. 너무 좋았어요.

신입사원이 된 거 같은 마음.

그때가 아마도 입사하고 10년이 넘었을 때였을 거예요.

또 이렇게 사는 것에 대해 깨달음을 얻었어요.

<u>그냥 '나'로 살면 되는구나.</u>

<u>언제나 기회는 오는 거구나.</u>

<u>조금 늦어도 괜찮은 거구나.</u>

<u>조급 해하지 않아도 때가 되면....</u>

<u>'운'이 없던 게 아니라 그저 내 때가 아니었던 거구나.</u>

이런 생각들을 할 수 있음에 감사하며,

다시 또 살아낼 힘을 얻었던 거 같아요.

조금은 낯선 환경이 주는 위로를 받으면서요....

10 년만에 느끼는 신입사원의 감정은 매우 복합적이었어요.

내가 지금까지 현장에서 느꼈던 시간에 자부심이 있었는데,

알고 보니 오만함 이었어요.

회사에 대해 많은 걸 알고 있다고 착각했었어요.

'새 발의 피' 라는 것을 느낄 정도였거든요.

무던히 그 자리에서 최선을 다했던 거 같아요.

나만의 방식대로 내가 할 수 있는 최선을 다하면서.

내가 할 수 있는 일이 있다는 것만큼 즐거운 일도 없잖아요.

많은 것을 알고 있다고 느꼈던 지난 시간들 속에

정작 해 낼 수 있는 일이 내 범주 밖의 일이 되면

발목을 잡기도 했어요.

새롭게 일을 배워가는 재미도 좋았던 거 같아요.

하지만, 그런 시간들 속에 아무래도 회사라는 조직은

나만 잘 한다고 모든 것에 만족된 결과를 주진 않더라고요.

때론, 파트너사에서 문제를 일으키기도 하고,

함께 일하는 동료의 눈총을 받기도 일쑤였죠.

회사에서 제가 맡았던 보직을 동료들은

[독.고.다.이] 라고 표현하기도 했어요.

그만큼 혼자 일하는 업무였지만, 조직은 조직이더라고요.

새로운 보직을 맡은 후 자리매김해가며

3년이라는 시간이 흘렀을 즈음.

파트너사와 금전적인 부분에 오해가 생겼어요.

150 만원이라는 돈을 전달해주는 과정에 법인사업체인지라

개인 계좌로 받을 수 없다고 해서 제 계좌로 받아달라는 말에

곧이 곧 대로 전달해줬어요.

혹시나 싶어서 선배에게 묻기도 했고요.

그게 문제가 되는 거라고는 생각하지 못했어요.

'찾아서 주면 되는구나' 라고 단순하게 생각했던 것 같아요.

하지만 회사에서는 그 자체가 잘못된 것이라고 말하더라고요.

<u>"돈을 받아 챙기려고 했다."</u> 라고 단정 지었어요.

당황했던 거 같아요. 그게 아닌데.

도둑으로 몰아가는 상사들의 언행과 상황들.

모두 되돌려 두고 싶었어요.

파트너 사에 전화도 해보고, 잘 몰라서 물었던 선배에게도.

전달하면 그만이라고 대수롭지 않게 이야기하는 사람들과는

달리 유독 추궁하는 한 여자 상사 사람이 있었어요.

결국 이 일들도 와전이 되어 블라인드 앱에 게시가 되었어요.

일파만파.

저는 어느새 입에 담기 힘든 나쁜 사람이 되어있더라고요.

그때 부 터였던 거 같아요.

몸에 마비가 오기 시작하고...

숨통이 조여오기 시작한 게....

그동안 아무렇지 않은 척. 꽤나 괜찮은 사람인 척.

여전히 잘 지내는 척.

그렇게 지내 왔었나봐요.

실상과 달리 내 마음을 갉아내고,

상처를 꾹꾹 눌러 내며 그렇게 불안을 품고 살았나 봐요.

<u>괜찮아... 괜찮아. 의 주문은</u>

<u>안 괜찮은 내 마음을 옭아매는 일이었던 거예요.</u>

그렇게 보이고 싶었나 봐요.

단단한 사람으로...

방어태세 였다는 걸 너무 늦게 알았어요.

[또 다시 운이 없다고 느끼며.]

역시 나는 운이 없는 사람이었어요.

기회가 와도 제대로 잡지 못하고, 말도 안되는 상황에 연루되고,

괜찮은 척하며 버텨왔던 시간 탓에 신체적인 아픔을 동반했어요.

이불속에서 단 한 발짝도 움직일 수 없었어요.

전화벨 소리도. 카톡 소리도. 모두 무음이었어요.

아무 소리도 듣고 싶지도 않았거든요.

순간 순간 조여오는 숨막힘에 연거푸 신체 반응에만 집중되었고,

그러다 또 어디서 부터 잘 못 된 건지,

생각이 꼬리에 꼬리를 물었어요.

그러다 밤이 지나는 줄도 모르고,

하염없이 뜬 눈으로 며칠밤을 지새웠던 거 같아요.

꼬리에 꼬리를 문 생각들이 답이 나오진 않았어요.

생각이 많아질 수록 굳어져 오는 몸을 감내해야만 했어요.

함께 사는 이에게 말을 해볼까도 했지만,

그 언젠가부터,

소원해진 관계 탓에 쉽사리 말하지 못했던 거 같아요.

아마도... 지인의 도움으로 작은 가게를 운영했던 게 잘 안되면서

였던 거 같기도 해요.

블라인드의 글들이 매 순간 더 위축되게 만들기도 했어요.

'부끄럼 없는 엄마이고 싶었는데,

함께 사는 이에게 불편함을 만들어주고 싶지 않았는데.'

내 마음과 달리 발생되는 일들에 답답함과 무능함만이

모든 상황을 대변해주는 듯했어요.

당장 출근은 해야 하는데 몸은 움직이지 않았고,

자꾸만 숨이 막혀오는 탓에

출근 대신 년차를 대신하고 병원을 갔어요.

내과를 갔는데 이상이 없다고 하더라고요.

증상을 말했더니 신경과를 가보라고...

마비가 오는 건 신경과에서 확인이 가능하다고!

그래서 대학병원 신경과를 갔어요.

병원을 가면서 잊고 있던 20 대때의 제 모습이 데자 뷰

되더라고요.

병원을 수시로 옮겨 다녔던 과거의 나를 보는 듯했어요.

내과에서 신경과로 그리고 다시 한의원으로

결국 돌아온 답변은 정신건강의학과를 가보라는 답변을

받았어요.

네 맞아요. 정신건강의학과는 정신과 맞습니다.

'정신과를 가라니...

나를 미친 사람 취급하는 건가?

뭐 이런 돌팔이 들이 다 있어.'

저에게 정신과는 '언덕위의 하얀 집' 속된말로

미친 사람이 가는 곳이라고 생각 했어요.

나는 미치지 않았거든!!!

진짜 미친 건 너희 다!!! 라고, 이야기했어요.

그때 까지만 해도 편견이 가득한 곳이었어요.

지금은 그때에 비하면 많이 유해진 인식이긴 하지만,

그때는 '내가 왜 정신과까지 가야 해?' 하고, 생각 했기에 굳이 또 애써서 병원 가는 일을 미루고 미루게 되었던 거 같아요.

미루어진 시간만큼이나 회사를 가는 것도 두려워졌어요.

사람이 싫어 진다는 표현도 맞았고,

운전을 할 수도 없었고,

얼굴이 마비되어 버린 모습을 보여 주고 싶지도 않았어요.

상태는 더욱 악화되어 갔어요.

회사를 나갈 수 없게 된 탓에 스트레스를 받기도 했던 거 같아요.

병원 가는 길에 철푸덕 주저 앉기도 했던 거 같아요.

운전하면서 손발이 갑자기 마비가 되어 멈추기도 했고요.

결국 한 정신건강의학과 의원을 찾아 갔습니다.

정말이지 죽는 것만큼이나 가기 싫었어요.

어쩌겠어요! 가야지.

그래서 약이나 받자는 심정으로 갔어요.

그간 많은 일들을 겪었던 탓도 있었겠지만, 편견에 휩싸여

정신과 선생님 (모르는 사람)에게 내 이야기를 해내는 것이

비단 쉬운 일은 아니었어요.

그저 "내 상태가 이러하니 약을 달라." 라고 말하는 게

저 로서는 최선의 방법이었어요.

"겉으로 지극히 정상적이신 거 같은데,

남의 이야기를 하시는 것 같네요?"

의사선생님이 제 증상을 듣고 나서 한 말이었어요.

<u>그만큼 모든 일에 감흥이 없을 정도로 무뎌 져 갔어요.</u>

사실 귀에 들리지도 않았어요. 약이나 받자 싶었으니까요.

그런데 약은 줄 건데 큰 병원으로 갔으면 좋겠다고

소견서를 써준다고 하더라고요.

아주 그냥 지긋지긋 했습니다.

도대체 이럴 거면 병원들은 왜 있나 싶었어요.

내가 스스로 병을 키워서 간 건 안중에 없이 말이죠.

약을 먹기는 했죠. 내가 불편하니까! 출근을 해야 하니까!

어쩌면 피하고 싶었는지도 모르겠어요.

20대의 나는 희귀병.

30대의 나는 정신병으로.

만들어 두고 싶지 않았던 마음에....

나 자신 조차도 정신건강의학과(정신과)에 대한 편견이 있던 탓인지,

아님 덜 아팠던 탓인지,

소견서를 받아 들고 바로 대학병원으로 가지 않았어요.

약을 먹으면 나을 거라 생각했어요.

20 대의 기억에 약을 먹으면

어쨌든 몇일은 아프지 않았으니까...

하지만, 이번엔 달랐어요.

약을 먹는다 한들 달라지는 건 덜 아픈 게 아니라,

혼미해지는 정신이었던 거 같아요.

빠릿빠릿의 대가라고 불릴 정도의 '나' 였는데,

굼뜬 나의 모습을 자꾸만 마주하게 되었어요.

약을 먹을 때마다 자존감 하락이었어요.

"이런 돌팔이!!!"

자연스레 약을 먹지 않게 되더라고요.

하루가 지나고, 이틀이 지나고,

다시 빠릿해지는 나의 모습을 마주하기는 했지만,

숨이 막혀오고 마비가 되는 증상들이 다시 나타났어요.

'대체 왜 나한테만 이러는 건데!!!'

그 시간들 속 회사 선배들은 무한 전화와 카톡을 보냈더라고요.

'나는 대체 왜 이런 일들을 마주해야 하는 거지?'

어느 곳 하나 마음 둘 곳 없이

'내가 이정도의 믿음 밖에 되지 않았나?'

'나는 그동안 어떻게 살아 온 거지?'

'얼마나 더 열심히 살아야 하는 거지?'

내가 원했던 건 그저.

어제 보다 나은 오늘을 살고 싶었을 뿐이었는데...

자랑스러운 자식이고 싶었고, 부끄럽지 않는 아내이고 싶었고,

든든한 엄마이고 싶었는데...

어디서부터 잘못 된거지?

계획대로 되지 않는 게 사는 거라고 누가 그러더라고요.

그러니,

늘 변화를 주면서 움직여야 한다고...

또 누가 그러더라고요.

아무 일도 하지 않으면서 달라지는 내일을

기대하는 건 미친 거라고...

제발, 아무 일도 하지 않고...

아무 일도 일어나지 않았으면 좋겠다고

숱한 게 생각했어요.

내가 원하는 건 그저 평범하고 여유 있는 삶이었는데....

왜 나한테만 이러는 걸까요?

[또 다시 도피처를 찾아요.]

약을 처방 받고도 제대로 먹지 않으니 증상들이 더 심해져 갔어요.

어느 날은 어지럽기도 하고,

또 어느 날은 숨이 막혀 오기도 하고,

또 어느 날은 팔, 다리를 쓸 수 없을 만큼 뻣뻣해짐을 느꼈어요.

스.불.재(스스로 불러온 재앙)로 인해 정신과의원으로 갔어요.

결국 다시 소견서 받아 들고 대학병원으로 갔습니다.

소견서에도 유효기간이 있다는 걸 뒤늦게 알았거든요.

더 번거롭게 일을 키운 거죠.

스.불.재...스.불.재....

대학병원의 초진은 예약일이 제법 걸렸어요.

그 기간동안 그렇다고 약을 엄청 열심히 먹진 않았던 거 같아요.

'지금 생각해 보면 덜 아팠다...?' 싶은 마음이랄까요?

초진일이 되고 교수님을 마주했는데 정말이지,

정신과 의원과는 사뭇 다른 모습이었어요.

교수님의 아우라가 장난이 아니었기도 했고, 카리스마 장착!

소견서를 보시고는

"입원 가능 하신가요?"

예상치 못한 질문 탓에 아무 말도 못하고 있었는데,

무슨 검사를 하고 입원여부 정해서 말해달라고 하고는

진료가 끝났어요.

5분도 채 안되는 시간.

진료실을 들어가기 위해 대기했던 시간이 훨씬 길었어요.

진료실을 나와서는 엄청난 페이퍼를 작성해야 했고요.

우울증 척도를 알아보는 검사지 였던 것 같은데,

제법 많은 양의 질문지를 작성했어요.

눈은 질문지를 향해 있었지만, 머리는

'입원을 하라고? 정신과에? 어떡하지?'

집도 걱정이었지만, 회사도 걱정이 되었고,

그 무엇보다 정신과에 입원하는

내 자신을 어떻게 받아들여야 할지?

"내가 그 정도야?"

하는 생각들로 어떤 질문지였는지 제대로 기억도 안나요.

적어도 제 기억속의 정신과 병동의 모습은 철창 혹은 독방에

홀로 창 밖을 바라보고 있는 모습,

얼굴은 창백한 채로 넋이 나가 있는 모습 들인데…………

'내가? 거길?'

회사에는 뭐라고 말할 것이며, 집에는 또 뭐라고 말을 해야 하나?

생각에 꼬리를 물고 끝도 없이 헤매었어요.

(수많은 질문지를 작성하는 내내.)

결국은 다음 외래일을 잡고 집으로 향했습니다.

집으로 가는 동안에도 [정신과 입원]에 꽂혀 있었어요.

함께 사는 이에게 말을 해야겠다 싶어 고민하다가 말을 했는데...

처음 제가 교수님에게 들었던 그 반응 그대로였어요.

섣불리 말을 할 수 없는...

상황이 맞긴 해요.

우리의 편견이 그 정도로 수년 전 까지만 해도 그랬으니까요.

이해합니다.

그 무엇보다 나 자신이 인정하지 못하는데,

제아무리 함께 사는 이 라 할지라도 쉽게 답할 수 있는 문제는

아니니까요.

다음 외래일 까지는 7 일. 결정을 내리는 시간까지도 7 일.

회사의 반응. 주변의 반응, 가족의 반응... 아이들의 반응.

타인을 의식하는 생각으로만 가득 찼어요.

'회사는 다녀야 밥 먹고 사니까.'

'가족들에게는 또 뭐라고 말을 해야 하나?'

회사에서의 그 오해들이 나를 이렇게 만든 것만 같아서

화가 나면서도 또 한편으론

'정신과 입원을 어떻게...?'

미친년으로 생각해서 그랬을 거란 말이 나오는 건 아닌가?

싶기도 하고,

이 수많은 고민들 중에 정작 나를 위한 고민은 없었어요.

모두 타인의 눈치를 보는 그런 생각들 뿐이었죠!

어쩌면 의미 없는 시간이었을지도 몰라요.

결국은 입원을 선택했으니까요.

그런 생각들을 하면 할수록 제 상태는 더 악화되어 갔고,

약을 먹어도 효과를 보지도 못했으니, 마음이 고장나 버린 거죠.

요런 건 답.정.너? 라고 하는 거 맞나요?

교수님은 그저... 입원 준비할 시간을 주셨을 뿐이고,

저는 그 속도 모르고, 남들 의식하기 바빴고.

그 덕에 더 악화되었고... 결국은 입원을 피할 수 없는 상황.

외래일이 되기 전에,

휴가, 년차, 병가 사용관련 해서 정리할 시간을 주셨던 거였어요.

회사도. 집도. 나의 마음까지... 준비의 시간.

코.시.국(코로나 19)이 아니었던 지라,

외래일에 입원준비를 해서 갔어요.

나름. 제 딴 에는 한달이면 되겠지 하면서.

한달 동안 쓸 물품들을 챙겼어요.

속옷, 슬리퍼, 수건, 종이컵, 물티슈, 드라이기,

샴푸, 린스, 바디워시, 로션, 손톱깎이, 면봉, 머리 빗, 생리대, 양말

세상 꼼꼼히도 챙겼던 거 같아요.

20 대때 병원 생활하던 그 때를 생각하면서요.

엄청 열심히 챙겨도 늘 빠지는건 있잖아요.

여행 갈 때도 그렇게 열심히 챙겨도 늘 가서야 생각나는...

입원실에 도착해서야 생각나는 것들이 생기긴 하더라고요.

입원실에 도착해서 입원실 사용 설명도 듣고,

귀에 잘 들리지 않는 확인서들을 서명하고,

자리도 배정받고, 환자복도 받고, 체중도 재고, 채혈도 하고,

그렇게 아주 자연스럽게 결국은 입원하게 되었던 거 같아요.

고민의 시간들이 언제 있었냐는 듯...

병원생활을 함께 할 자리를 배정받고,

종합 선물세트 마냥 해야 하는 것들을 하고 나니

주치의 선생님과의 대화의 시간이 있더라고요.

그 대화의 시간은 참으로 낯설었지만,

참으로 따뜻했고,

나의 도피처를 만들어준 대화의 시간이 되었어요.

"신체적 증상을 느끼게 된 건 언제부터 인가요?"

"왜 그런 증상을 얻었다고 생각하시나요?"

"블라인드가 무엇인가요?"

(주치의 쌤은 블라인드를 모르셨어요.)

"어떠한 상황이 있었나요?"

"지금 느끼시는 증상들을 말씀해 주세요?"

이런 질문들에 답을 하며 그간 참아 왔던 눈물버튼이 눌렸는지

한참을 울었던 거 같아요.

정말 센스 있게도 휴지도 챙겨 주시고, 마음껏 울으라고 자리를

피해 주시던 주치의 선생님(=키다리 쌤) 입니다.

블라인드 어플을 잘 모르는 탓에 그 앱 설명을 하면서

답답하게 느껴지기 도 했는데,

그 날 이후 그 모든 아픔들을 치유해 줄 도피처로

자리매김하게 되었던 거 같아요.

그리도 편견으로 갈까? 말까? 하던

상상 속 정신과 병동은 참으로 인간적이고 따뜻한 곳이었어요.

철창 혹은 독방에 홀로 창 밖을 바라보고 있는 모습,

얼굴은 창백한 채로 넋이 나가 있는 모습의

상상 속 병동은 아니더라고요.

의사 선생님들도 간호사선생님들도 모두 따뜻했고,

4 인실 병실의 환우들도 모두 천사 표였어요.

어색함 보다는 서로 감싸주고,

이해해주는 따뜻한 마음이 모인 병동이었습니다.

그렇게 제 마음속에 세번째 도피처로 안착했어요.

정신과에 대한 편견들로 하여금

치료의 시기를 놓치고,

더 악화되는 분들이 많음을....

정확한 정보를 알지 못하고 편견에 휩싸여

선뜻 병원으로의 한 발을 내딛지 못하는 분들이

많음을...

입. 퇴원을 반복하며 알게 되었어요.

한국사회에 잘못 뿌리내린

정신과에 대한 인식변화는 필요하겠구나!

그래야 남이 아닌 나를 먼저 생각하고,

나를 더 소중하게 여기게 되겠구나 싶더라고요.

그 편견들 속에 회사 사람들에겐 그저 정신 병자로

자리매김해버린 내가 되었기에 든 생각은 절대 아니예요.

다만, 당당하게 말할 수 없을 만큼의 병명은 아니었다는 거...

누구나 아픔의 시기는 있고,

그 시기만 다를 뿐이라는 걸... 알게 되었어요.

[트라우마에 시달리기도 합니다.]

정신과에 입원하던 날 제 모습은 검정색 바지에 회색 티셔츠를 입고,

모자를 눌러쓰고, 마스크를 착용하고, 이어폰을 끼고 있었어요.

(코.시.국 아님)

블라인드 글 게시 이후 사람이 무서웠고,

사람들이 많은 공간에 가면 숨이 막혀 왔고,

대중교통을 이용할 수도 없었어요.

사람들이 많이 있으면 모두가 손가락질하는 것 같았고,

나를 보며 수근 거리는 것 같이 보였거든요.

옷도 늘 밝은 색 옷을 입었던 거 같은데,

그때 그 시절에는 어두운 색을 골라 입었던 거 같아요.

병원에 입원해서도 병실 밖을 나가게 되면 검정 모자와

검정 마스크 그리고 아무 소리가 나지 않는 이어폰은

기본적으로 셋팅이 되어야 제 마음이 편했어요.

하필 제가 있던 병동 앞이 중환자실 앞인지라 면회시간만 되면,

병실 안에서도 불안에 시달리면서.

검은 모자, 검은 마스크, 이어폰은

여전히 면회가 끝날 때까지 장착했던 거 같아요.

물론,

저와 마주하던 혹은 같은 시간. 같은 공간에 있던 사람들은

저에게 관심이 없었겠지만,

광장형 공황장애를 앓게 되어 버린 저에게 만큼은

숨통이 조여 오는 시간이었어요.

불안과 초조 공황장애는 세트로 찾아오곤 했어요.

두려움의 시간이었죠!

그 두려움의 시간은 무척이나 더디게만 흘렀던 거 같은데,

지나고 보면 얼마 지나지 않은 시간들이었더라고요.

체감은 10 시간 같은데 실제 시간은 한 시간 정도 흐르곤 했어요.

수면장애까지 동반한 탓에

하루가 무척이나 길게만 느껴 지기도 했어요.

약은 먹고 있지만,

잠을 오래. 제대로 잘 수 없는 수일이 지나다 보니

정신이 몽롱해지고 몸이 굼떠지는 걸 느끼게 되었어요.

답답한 마음에 교수님 회진때마다

" 저는 언제 제대로 잘 수 있나요? "

"이 정도 못 자면 약을 늘려 주시든지 조치를 취해 주셔야

하는 거 아닌가요?"

잠을 못 자니 교수님에게 짜증만 늘어갔던 거 같아요.

매일 아침 마다 마주하는 주치의 선생님과의 면담시간에도

주로 증상이 호전되지 않는 답답함만 토로했던 거 같아요.

어느 날은

입원실에서 너무 답답함을 느끼고, 병원 로비로 나갔다가

수많은 외래 환자들을 보고 기절해서

보안 팀 직원에 의해 병실로 돌아오기도 했고요.

또 어느 날은 C.T 찍기로 했는데, 자신이 없다고...

못할 거 같다고 주치의 선생님께

말을 했음에도 별일 없을 거라고 안심시켜 주셔서

결국은 C. T 실로 갔다가, 공황장애로 인해

기절하고 처치실로 돌아오기도 했었어요.

블라인드(직장인 익명 게시판)

그게 뭐라고 자꾸만 신경을 쓰는지

병원에 있으면서도 가끔 들여다보기도 했던 거 같아요.

그럴 때면 더욱이 불안이 엄습해 오곤 했어요.

결국 주치의 선생님이 앱을 지우자고 말을 하셨어요.

앱을 지운다고 나의 증상들이 사라지면 얼마나 좋았을까요?

저를 돈을 빼돌린 사람으로

몰아갔던 여자 상사 사람에 대한 트라우마로 인해

여자 사람과의 대화도 쉽지 않았어요.

같은 병실에 있는 사람들을 제외하고요.

사람들이 많은 곳을 가지도 못하고,

사람들의 말 소리가 모두 나를 향한 비난의 소리로 들렸고,

큰소리에 쉽게 놀라거나 움츠러들기 일쑤였어요.

이런 증상들 탓에 끼니마다 먹게 된 경구약의 양은 20 알이

넘어가기 시작했어요.

약 먹다가 배부른 그런 상황.

잠도 제대로 못 자고 점점 피폐해져 갔어요.

함께 살던 이가 아이들과 자주 병문안을 와 주었더라면

좀 나았을까요?

어느 날은 키다리 쌤(주치의 선생님)이

"남편분과 사이가 안좋으신가봐요?" 라는 질문을 하시더라고요.

딱히 맞다 아니다 답할 순 없었지만,

정신과에 입원한 걸 그 닥 좋아하지 않았으니,

사이가 딱히 또 '좋았다' 라고 답하기도 애매 하더라고요.

무언은 긍정을 낳았나 봐요. 센스 있게 알아들어 주신 거 같아요.

시간이 흐르고 흘러,

내 마음속에 기약했던 한달의 시간은 훌쩍 넘어 갔고,

회사에 냈던 년차, 휴가, 병가를 모두 소진하고,

병가 연장을 해야만 했어요.

그저, 일하는 게 좋았고,

나에게 있어 좋은 사람들이라고 생각한 어릴 적부터 함께한

가족 같은 조직이었는데.

이런 믿음의 크기만큼이나

실망도 배신감도 매우 컸던 것 같아요.

그러던 어느 날,

회사 (여자 상사 포함) 분이 병문안을 온다고 하더라고요.

사실 그닥 반가운 사람들은 아니었어요.

저를 의심하고 윽박지르던 사람들이었기에,

병문안이 두렵기만 했어요.

이런 제 마음을 키다리 쌤에게 표현했더니,

면회 제한 시간을 만들어 주셔서 간단히 인사 정도만 하고,

돌아 갔습니다.

여전히 저는 회사 상사분들을

검은 모자와 검은 마스크 환자복을 입은 채로 맞이했어요.

그들이 돌아가고 난 후,

꽤 오랜 시간 불안으로 눈물만 흘리며 시간을 보냈던 거 같아요.

'나를 이렇게 만든 건 그들 때문이야!'

염치도 없이 병문안을 왔다는 생각으로

얼마나 아픈지 구경하러 온 거 마냥 느껴 지기까지 했어요.

그런 의도가 아니었다는 걸 알지만, 마음이 삐 뚫어진 상태이고,

온갖 증상에 시달리며, 원망만 늘어 갔던 거 같아요.

나의 도피처에서는 그들의 방문 이후 안정제를 투약해 주었어요.

그리곤 그 시간들이 나에게 어떻게 작용했는지 물어주고,

삐뚤어진 마음의 소리를 여러 번 올바로 잡아 주기도 했어요.

그럴 때마다 아주 매우 유치하게...

"키다리 쌤은 누구 편이예요?" 하며 되묻기도 했어요.

편견으로 인해,

내가 경험해 보지 못한 것을 단정짓곤 해요.

하지만,

실제로 경험해 보면 편견이라는 것을 깨닫게 되죠.

어쩌면 정신건강의학과(=정신과)도

과거의 모습들로 하여금

모두의 인식속에 편견으로 가득 메워져 있는지 모르겠어요.

살면서 누구나 내 마음을 억누르면서 지내곤 합니다.

결코 나약해서가 아니라,

억누르면서 지내 왔던 시간들에 대한

<u>휴식의 신호</u>이지 않았을까 싶어요.

마음의 내과, 마음의 필라테스라고 표현해 볼래요.

5장
이렇게 어른이 되는 건가 봐요.

사람이 인생에서 가장 후회하는 어리석은 행동은,

기회가 있을 때 저지르지 않은 행동이다. [헬렌 롤랜드]

[감정에 무뎌 지기도 합니다.]

하루하루 시간을 보내며 나의 마음속 미움과 원망들이 현실적으로

받아들여지는 날이 오더라고요.

하지만 내 얼굴엔 미소가 없어졌고,

좋고 싫고 의 감정 조차도 무뎌 지기 시작했어요.

어느새 익숙해져 버린 병원생활.

그리고 나의 상황에 무뎌 지기 시작한 나의 모습.

어른이 되는 건 나이를 먹는 게 아니라,

얼마나 많은 경험을 하며,

내 인성을 둥글게 만들어 두었는지가 아닌가 생각해 봅니다.

네모 각진 두려울 것 없던 청춘의 시간이 아닌

그 어떤 상황과 충격에도

담담하게 대처해 나갈 수 있는 능력을 키워내는 것.

그렇게 내 감정에 서서히 무뎌지는것.

그것이 어른이 되는 과정이지 않나 싶어요.

한때는,

" 왜 나한테만 세상이 이토록 혹독하기만 하지?"

"어쩜 어렵고 힘든 일을 어린 나이에 겪어내야만 하지?"

야속하기만 했는데, 시간이 지나 되돌아보니,

많은 이들의 마음을 알아주는

'해피제이'로 쓰임 받기 위함이 아니었나 생각해 봅니다.

그 시간들이 있기에 조금 더 여러분의 마음을 이해해 줄 수 있고,

그 시간들이 있었기에 조금 더 그 어떤 이야기에도

담담히 소통하고,

지난시간을 나눌 수 있게 된 것이 아닌가 싶어요.

<u>의미 없는 시간은 없다</u>고 흔히들 말하죠!

그 말이 무슨 말인지 이해하지 못하던 시절도 있었어요.

하지만 숱한 시련과 고통을 당해 보고,

<u>오해와 의심도 받아 보고, 협박도 당해 보고,</u>

<u>신용불량자도 되어 보고, 집에 빨간 딱지도 붙여져 보고,</u>

하면서 어쩜 네모난 내 마음이

조금씩 깎이고 깎여 동그라미의 모습으로

남들보다 조금 빠르게 원형의 모습을 만들어 지게 한 시간이,

이렇게 쓰임 받기 위함이 아니었을까?

생각하며 스스로 위로해 봅니다.

지난 시간을 되돌아보면, 친구들, 지인들도 참 많이 잃었어요.

<u>오토바이 사고로 식물인간으로 연명하다가 하늘로 초대받은 친구.</u>

파트 타임으로 알게 된 친구였는데 사고로 하늘로 초대받은 지인.

스스로 생을 마감한 지인.

이태원사고로 하늘로 초대받은 지인들.

그리고 하늘로 간 우리 아빠...

마음만 먹으면 볼 수 있는 존재들을 이제 더이상 볼 수 없음을.

그 흔한 카카오톡 안부 톡조차 답변 받을 수 없음을.

어쩜, 이런 원치 않은 이별 탓에 장례식장에 대한 트라우마도

꽤나 오래 겪었는지 모르겠어요.

그 대상이 누구이든지 간에 장례식장 입구에서부터

숨통이 막혀 왔고, 대성통곡을 하며 울어 버렸던 나.

그 트라우마를 극복하고 싶은 마음에 장례식장 알바도

꽤나 오래 했어요.

민폐녀가 되고 싶지 않았거든요..

고인 가족들이 민망할 정도로 울어 버리는 통에

장례식장 가는 게 결코 쉬운 일이 아니었던 시절이 있었어요.

하지만, 지금은 그 어떤 장례식장을 가더라도

담담하게 받아들일 수 있게 되었답니다.

마음으로 슬퍼 하고 그가 누가 되든 애도하며,

온전히 경건한 마음으로 보내줄 수 있는 모습입니다.

무척이나 애썼던 거 같아요.

첫 알바땐 공황장애 증상으로 엄청 고생했던 기억도 있어요.

조문객이 불편 해 할 정도로 말이죠.

그런데요. 어른이 된다는 건 이런 건가 봐요.

감흥이 없어 지는 것.

그 어떤 상황에서도 진중히 현실을 직시하고,

후회 없는 선택을 해내는 것.

존중 받아야 할 내 마음이지만,

내 마음을 온전히 드러내지 않고 현명하게

판단하고 그 판단에 책임을 지는 것.

그게 진정한 어른이 아닐까 싶습니다.

아직도 꼰대 마인드로 나이로 어른이라 칭하는 사람들이

꽤나 많아요.

하지만,

본인 감정 컨트롤을 하지 못하고,

욱하는 성격을 고스란히 드러내지 아니하고,

현명하게 대처하는 모습.

진정한 '어른'이라고 불릴 수 있는 사람이 아닐까요?

그 언젠가는 어른이 되기를 갈망했던 적도 있었는데,

정작 어른이 되어 보니,

나이만 먹은 <u>어린 어른</u>은 아닌가 싶기도 합니다

어른이 되기를 바라왔을 땐,

마냥 내가 원하는 대로 할 수 있다는 막연함으로

갈망했던 거 같습니다.

시간이 지나 어른이 되어 보니

끊임없는 선택의 순간과 끊임없는 좌절의 순간과

마주하게 되더라고요.

그 누군가가

"아프니까 청춘이다"라기에

청춘이기에 아파야 하는 줄 알았고,

청춘이라는 시간을 보내고도.

마주하게 된 선택에는 더 큰 책임이 따르고,

좌절의 순간은 끊임없이 함께 하고 있더군요.

아픔을 통해,

배우고 성숙해져 가는 게 어른이 되어 가는 과정인 건가?

아니면,

어른은 모두 흔들리는 건데, 안 흔들리는 척하는 건가?

'인생을 포기할까?' 하는 생각도 해봤습니다.

내가 불행 한건지?

내가 불편 한건지?

무한 질문들만 생겨나더라고요.

어른의 시간엔 아픔도 좌절도 모두 존재합니다.

물론, 행복도 존재하고요.

그런데 결론은 불가항력적으로,

좌절의 순간 - 부정적인 시간 뒤엔

긍정적인 시간이 옵니다.

의미 없는 시간은 없다고 합니다.

그냥 그 말을 믿어 보기로 했어요.

어른의 시간이 끊임없는 좌절의 시간이라면,

또,

끊임없는 긍정의 시간도 있을 거란 걸....

그러니,

지금 너무 힘들다고, 아무것도 할 수 없다고,

내가 초라해 보이고 보잘것없이 보이더라도.

여러분 에게도 이 시간만 지나면,

좋은 시간이 꼭 올 겁니다.

우리 그렇게 같이 믿고,

어제보다 나은 오늘을 살아내 봐요.

[사람을 잃기도 합니다.]

회사생활을 할 땐 꽤나 많은 사람들이 안부전화, 카톡을 해왔어요.

그렇게 친분을 쌓기도 하고,

나름 찐친이라고 말할 만큼 자주 연락도 했고요.

그런데

정작 블라인드 내용이 게시되고,

또 정신건강의학과에 입원을 했는데,

그 숱한 연락들이 언제 받았냐는 듯 캔디 폰으로 변신했더라고요.

무어라 말을 해야 할지 몰라서 연락을 못하는 건지?

아님,

사고 친 사람과는 친분을 쌓을 명분이 없어졌기 때문인지?

울리지 않는 핸드폰을 만지작거리면서

수많은 생각을 했던 거 같아요.

 물론, 먼저 연락하는 방법도 생각을 안 해 본건 아니었어요.

다만,

먼저 연락을 했을 때, 읽씹을 당한다거나,

혹은 예상치 못한 답을 받았을 때,

내 마음에 스크래치가 날것 같아서

나를 스스로 보호하려고 했던 거 같기도 해요.

그렇다고 일일이 연락해서

"이러이러한 내용은 오해다."

라고 말하는 것도 너무 이상 하잖아요?

<u>그렇게 수많은 생각들 끝에, 내 사람이 아니었음을.</u>

굳이 관계에 애쓰지 않기로 다짐하고 또 다짐한 것 같아요.

오늘은 연락이 오겠지.

내일은 연락이 누구 하나 오지 않을까?

이 지인은 오해 없이 연락할 법도 한데? 연락해볼까?

이런 생각들의 정점이 된 거죠.

 마음이 있었다면, "괜찮아?"

이 3 음절 보내는데 걸리는 시간이 약 5 초.

이 5 초를 투자하지 못할 정도의 관계였다면,

정말 내 사람이 아닌거지!

제 아무리 바빠도 마음이 있으면 연락하기 마련이고,

없는 시간 쪼개서 밥도 같이 먹을 수 있는 건데.

입원기간은 이미 한달이 넘어 가는데

그 누구도 3 음절을 보내는 이가 없었네요.

대학생 시절에 어느 선배가 이런 말을 한 적 이 있어요.

"중, 고등학교 때 만난 친구는 평생 친구고,

대학생 때 만난 친구는 인맥이 되며,

사회에서 만난 친구는 어쩔 수 없는 동료일 뿐" 이라고...

불현듯.

선배의 말이 떠오르더라고요.

아!!! 역시 그때 그 말이 이런 말이었던 거구나!

그렇게 혼자 병실에서 핸드폰 속 저장된 지인의 번호를

정리하기 시작했어요.

저장된 전화번호가 1,000 명이 넘는데,

그 중 회사 사람이 80%나 되더라고요.

나 왕따였나?, 내가 그토록 창피한가?

"내가 복귀만 해봐라!" 하며 이를 갈기도 했던 거 같아요.

분노와 인정의 시간을 무한 반복하며,

핸드폰 속 저장된 연락처는 3분의 1로 줄어 들었어요.

게다가 회사 노조에는 사우가 입원을 하면,

병문안을 가는 제도가 있었는데,

하물며 노조원임에도 노조에서 병문안은 커녕 연락조차 없더라고요.

세상 서러웠어요...

'내가 정신과(정신건강의학과)에 입원했기 때문에

이런 취급을 받는다고?'

'나도 노조 비 내고 있는데 어쩜 이럴 수가 있지?'

'사고 쳤다고 오해받고 있어서 그런 건가?'

'그 여자 상사 사람 때문인 건가?'

온통 모든 신경이 그 여자 사람 때문이다! 라고

확언하고 단정 짓고 있었어요.

회사사람 그 누구도 연락이 오지 않는 것 모두!

이런 제 모습을 본 키다리 쌤(주치의 선생님)이

어느 날 미션을 주셨어요.

수첩에 그 여자 상사 사람이 생각날 때 마다

시간을 적어보라는 미션이요.

미션을 수행하다 보니,

그제야 제가 완전히 강박스럽게 집중하고 있었다는 걸 알게

되더라고요.

수첩에 적힌 미션들은

시간만이 적힌 게 아니라, 시간과 분 그리고 초까지

아주 상세도 적어 두었더라고요.

'24 시간을 온통. 그 사람에 대한 원망과 분노로 여기까지

온거다' 라고 제 생각을 대변해 주는 듯했어요.

결코, 그 여자 상사 때문은 아닌데 말이죠.

그만큼 억울하기도 하고 원망스럽기도 하고,

지난 십여 년간의

"회사생활에 이정도 신뢰밖에 되지 않았나?" 하는

생각들로 사로 잡혀 있었던 것 같아요.

그로 인해

블라인드 글들로, 주변사람들도 잃었다고,

그 당시에는 생각 했던 거 같아요.

실제는 진정한 내 사람을 가려내기 위한 시간이었을 터이지만

내 탓이 아닌 남 탓을 하기에 바빴던 것 같아요.

원인과 결과는 확연히 드러나기 마련인데,

그 당시에는 무엇이 그토록 억울하고 억울했는지.

모든 결과가 오롯이 그 여자 상사 때문이라 고만 생각 했었나봐요.

그렇게 '남들이 말하는 사람을 잃었다.'

저에겐.

내 사람을 알아 낸 시간을 보낸 게 되었어요.

그 어떤 상황도 그 어떤 시간도

정말 의미 없는 시간은 없네요.

학생 때와는 차원이 다른

일들을 마주하며,

가끔은 생사를 넘나들기도 하고,

평범한 하루하루가 제일 어려운 일임을 느끼며.

그러다 지치기도 하고, 힘에 부치기도 해요.

엄청 대단한 걸 원하는 게 아닌데

그저...

어제 보다 나은

오늘을 살고 싶을 뿐인데.

오직, 그것뿐인데 뭐가 이토록

매번 힘겹기만 할까요?

이런 날들에 익숙해지고,

무덤덤 해지는 그날이 오겠죠?

[다시 시작이라는 것을 해 봅니다.]

정신과(=정신건강의학과) 입 퇴원을 반복하며,

다시 일상으로 돌아왔습니다.

직장인. 그리고 워킹 맘의 일상이요.

입원 생활 중에 나와 맞는 약을 맞추면서

꽤나 오랜 시간이 걸렸던 거 같아요.

이래서 입원 치료가 필요한 건가 싶기도 하고요.

잠을 너무 못 자던 때 이기에 잠자는 약을 맞추다가 부작용으로

엄청 무언가를 먹었다는데, 기억이 나지 않는 일이 있었어요.

한 끼니당 20 여알 가까이 약을 먹었던 거 같은데,

그럼에도 밤에 잠을 자는 시간은 최대 두어 시간 뿐이었거든요.

그렇게 약을 맞추던 그 어느 날.

여느 날과 다름없이 약을 먹고 잠이 들었는데,

정신을 차리고 보니 침대에 앉아서

<u>초코 대 환장 파티</u>를 하고 있었어요.

(사실 이 날의 기억은 아직도 없습니다.)

간호사 선생님과 함께 한 환우들의 이야기의 종합본인 즉 슨,

그 날 낮에 초콜릿과 과자를 잔뜩 사 들고는 함께 먹고,

초콜릿을 나누어 주기도 했어요. (여기까진 기억이 있습니다)

밤에 약을 먹고 분명 잠이 들었는데,

어느샌가 깨서는 잔뜩 사다 둔 과자를 하나 둘.

'우걱우걱' 먹고서는 제 서랍에 있던 초콜릿도 다 먹고,

다른 환우들에게 주었던 초콜릿을 모두 수거해서

초코 침을 흘리면서 환자복, 침대 시트에 모두 묻혀가며,

먹고 있더라는 거예요.

새벽에 병실 확인을 하던 간호사 선생님에게 제 모습은 발견되었고,

재차 제 이름을 여러 번 불러대고 나서야 정신이 들었대요.

물론, 이 밤의 모든 일들은 키다리 쌤에게 전달이 되었고,

바로 약은 바뀌었어요.

하지만,

정신 차려보니 정말 초코 대 환장 파티를 했던

제 모습에 눈물 한 바가지.

침인지 눈물인지 알 수 없는 그 상황.

수치스럽기도 하고 당황스러웠어요.

간호사 선생님과 키다리 쌤은

그럴 수 있다고 괜찮다고 달래 주었지만,

그날의 기억은 아마도 절대 잊지 못할 겁니다.

병원에서 살이 찌는 걸 느끼고는 나름 루틴 생활도 했어요.

아침 6 시에 일어나서 혈압, 체온 재고,

아침 7 시엔 아침 먹고,

아침 8 시에 광 치료도 받고,

아침 9 시엔 키다리 쌤 면담.

아침 10 시부터는 일층부터 10 층까지 걸어 올라갔다가

엘리베이터 타고 내려와서,

다시 일층 부터 10 층까지의 세번의 반복.

땀을 흠뻑 빼고 나면 샤워까지 마치고,

오후 12 시에 점심을 먹고,

오후 1 시부터는 광합성 작용하러 밖에 산책.

오후 2 시에는 뉴로 피드백과 TMS 치료.

오후 4 시부터는 병실 분들과 수다의 장.

오후 6시가 되면 저녁을 먹고,

저녁 식사 후엔 또 다시 일층부터 10층까지 걸어 올라가기.

그렇게 아침과 똑같이 세번.

샤워하고 저녁 약 먹고 9시면 정신과 병동의

문이 잠기기에 약을 먹고 잠에 듭니다.

세상 신데렐라였어요.

뉴로 피드백과 TMS는 사실 입원초반엔 안했었어요.

무슨 효과가 있겠냐? 하는 마음과 이미 삐뚤어진 마음에

아무것도 하기 싫은 무기력 상태였으니까요.

그러다 문득,

'이대로 이렇게 살기 싫은데....'

'빨리 나아야 회사로 돌아 갈 수 있는데....'

하는 생각들의 끝에 뉴로 피드백과 TMS를 시작했습니다.

255

*뉴로 피드백 치료법

뉴로 피드백은 자신의 뇌기능을 실시간으로 측정하여,

나타나는 뇌파의 상황을 스스로 조절할 수 있도록 하여,

보다 나은 뇌파의 패턴으로 유도하는 치료법입니다.

(출처: 네이버 백과사전)

*TMS 치료법

경두개 자기 자극 술(TMS)

수술이나 마취 없이 전자기장으로 뇌의

신경세포를 자극시키는 새로운 치료방법.

TMS(Transcranial Magnetic Stimulation)치료 란

전자기 코일을 머리표면의 특정 부위에 놓고

국소적으로 자기장을 통해 두뇌(경두개 피질)의

신경세포를 자극해 활성 또는 억제시키도록 하는

새로운 뇌 자극 치료술입니다..

즉, 안전한 자기장의 특징을 이용하기 때문에

통증과 같은 부작용이 없이, 환자가 편안한 의자에

기대어 있는 동안 간편한 시술을 통해 국소적으로

뇌를 자극하여 치료할 수 있는 비침습적 치료 시술입니다.

(출처: 네이버 사전)

무엇이든 해보고 나아져서 복귀하고 싶었거든요.

회사로의 복귀에 대한 저의 이러한 시도와 실천들도 있었지만,

걱정도 한 가득이었습니다.

정신과약으로 뒤룩뒤룩 살 찐 내 몸.

멍하고 더딘 내 정신들.

'유니폼은 맞을까?' '일을 예전만큼 할 수 있을까?'

'사람들과 대면하는 것이 어렵진 않을까?'

복귀일이 다가올 수록 더욱 예민해지기도 했고,

아이들 과의 시간에도 불안으로 가득 차기 시작했어요.

복귀하면 외래 진료를 잘 볼 수 없을 수도 있을 텐데

'약이 떨어지면 어떻 하지?'

'일하다가 잠이 오면 어떻 하지?'

이런 걱정충이 되었고, 결국, 복직일은 오고야 말았습니다.

소풍 가기 전날의 설렘 반, 두려움 반으로 밤잠을 설치고,

정말 아프기 전의 루틴 처럼 아침 밥을 준비하고,

출근 준비하는 저의 모습.

왠지 언제 아팠 느냐는 듯 일상을 찾은 듯했습니다.

병가로 인한 직책의 변동도 있었고,

첫 출근 날.

20 대 희귀 병 치료 후 복귀하던 그 날이 생각나기도 하고,

새로운 동료 들과의 만남이 설레기까지 했으니,

이 정도면 더 호전될 수 있을 거란 희망을 갖기도 했습니다.

물론,

쉬는 기간 동안에 변경된 회사 지침을 숙지하느라 애를 먹긴 했으나,

첫날은 동료들의 배려와 어색함으로 근무시간이

빠르게도 지나갔습니다.

하루, 이틀, 삼일...

그렇게 회사로의 복귀는 안정화되어 갔습니다.

숱하게 고민했던 시간들이 무색해질 만큼

동료들과 대화하는 것도 두렵지 않았고,

일도 제법 몸이 기억해준 탓에 어색하지 않게 적응하고 있었습니다.

쉬는 날이면 외래 진료로 키다리 쌤을 만나,

그간의 이야기들도 하고 내 마음이 요동칠 때 어떻게 해내야 하는지

세뇌 당하기도 했습니다.

많이 걱정해 주셨고, 함께 오랜 시간 아픔을 나누었기에

더욱이 직장으로의 복귀를 권하진 않았지만,

저는 억울하게 그만 두고 싶지는 않았거든요.

그래서 복귀를 하기로 한 거였고요.

잘 지내고 있다는 이야기들의 끝엔 키다리 쌤의 당부가 있었습니다.

"언제나 힘들면, 아프면, 그만 두셔도 됩니다."

"해피제이님은 무엇이든 다 잘 해 내실 수 있을테니까요!"

이 말의 무게가 꽤나 무거웠지만,

그만큼 다시 회사에서의 본래 자리를 찾으려 노력했던 거 같아요.

유니폼이 안 맞아서 울퉁불퉁한 내 몸상태만 빼면

아주 완벽에 가까웠거든요.

외래에 갈때마다 받았던 뉴로 피드백과 TMS 도 한 몫 했습니다.

굴곡이 많았던 뉴로 피드백이 평온한 상태의 그래프를 보여주기

시작했으니까요.

회사 생활도 어느 정도 적응이 되어 가던 때,

여느 날과 다름없이 퇴근후에

집에 와서 밤 약을 먹고 잠이 들었습니다.

새벽 두시가 좀 넘은 시간 즈음...?

함께 사는 이가 다급하게 깨우더라고요.

"아버님이 위독하시대. 가봐야 될 거 같아~"

"일어나봐! 어서 가봐야 할 것 같아."

꿈 인줄 알았습니다.

약에 취해 너무 피곤해서 꿈을 꾸는 줄 같았어요.

"일어나봐~! 아버님이.... 많이 위독하시대.... 어서 먼저 가!

얘들 학교 보내는 대로 갈게"

잠에 취해, 약에 취해.

어떻게 병원까지 가게 되었는지 모르겠습니다,

병원에 도착했을 때, 아빠는 이미 혼수 상태였고,

손을 쓸 수 없는 상태였습니다,

종합병원에서 손을 쓸 수 없다면 대학병원으로 가보자 싶어,

제가 크론씨병으로 다녔던 대학병원의 교수님을 찾아가

제발 살려 달라고 애원해 보기도 했습니다.

하지만,

이동 중에 사망하실 수도 있다고. 중환자실 자리도 없다고…

결국 아빠는 하늘로 가셨어요.

너무 슬프면 눈물이 나지 않는다고 하죠.

회사에 알리고, 장례식을 준비하면서도 꿈꾸는 것 같았습니다.

상을 치르는 내내 엄마는 계속 기절한 채로 계셨고,

오롯이 제가 모든 걸 해내야 하는 상황이었어요.

대체 이게 무슨 일인 건지. 나 이제 다 나아가고 있고,

회사 생활도 적응되어 가는데

'아빠가.... 갑자기.. 왜?'

상 치르는 기간 내내 그 어느때 보다도

정상적인 제 모습이었고, 신중하고 또 신중했으며,

약한 모습 보이고 싶지 않은 마음에

가면 놀이를 하고 있었는지도 모르겠습니다.

어쩌면 아빠의 죽음이

제 삶을 변화시키는 터닝포인트로 작용했을지도 모르겠어요.

매일 얼굴 보고 살지 않아도

연락할 수 있다는 사람이 있다는 것.

그리고 언제나

내 편에서 나를 응원해 주고 지지해주고,

걱정해 주는 엄마, 아빠가 있다는 것이

얼마나 소중한 일인지 알게 되었어요.

그 흔한 동영상 하나. 찍어 두지 못해,

아빠의 목소리를 들을 수 없는 아쉬움에

사진만 하염없이 바라보며, 몇 일을 보냈어요.

엄마는 아빠와 함께 했던 시간들을 그리워하는 듯.

산악회에서 함께 주워 온 밤을

아무 말없이 잠도 안 주무시고

3 개월을 까시더라고요.

그렇게 조금씩 엄마의 마음에서 아빠를 보내 드렸나 봐요.

저 에게도 동생에게도 준비된 이별이 아니었기에

제법 긴 인고의 시간이 필요했어요.

어쩌면 아직도 진행형 일지도 모르겠네요.

[나의 모습대로 살아 갈래요.]

아빠의 49제까지 보내면서 많은 일들이 있었어요.

부모님이 사시던 집을 처분하고,

제가 살고 있는 동네로 모셔와야 했고,

혼자 살던 동생이 엄마와 함께 살아야 했어요.

그 사이,

말도 없이 회사를 그만 두어 버린 함께 살던 이.

그리고 다시 정신과 입원 생활.

정신과(=정신건강의학과) 진료를 이해하지 못해주던 이 와의 이별.

아이들과도 그렇게 자연스럽게 이별하게 되었고,

퇴원과 동시에 가지고 있던 모든 돈을 털어

오피스텔로 혼자 들어 가게 되었습니다.

13년 가까이 함께 한 이와의 이별은

어쩌면 아빠가 돌아가시면서 주신 선물이 아니었을까 싶기도 합니다.

늘 좋은 일만 있었다고 하면 거짓이죠.

좋은 일도 슬픈 일도 함께 했었어요.

주니어들도 있었으니 그 모습에 설레기도 하면서,

하지만 함께 산 기간 동안의 일들을 마주하며,

산 날 보다 살 날이 더 많기에,

오로지 나를 위해 선택한 것이었습니다.

후회하지 않습니다!

예전만큼 돌싱에 편견이 없기도 하지만,

더 이상 나의 마음을 아프게 하고 싶지 않았기에...

여러가지 사유가 있었겠죠.

물론, 여러가지 고민이 되는 부분도 많았습니다.

하지만,

그 고민들의 끝은 서로의 앞날을 응원해 주는 것을 선택했습니다.

생각해 보면 어린 20대 초반에 결혼을 했고,

주니어가 생겼고,

주변 지인들과는 다른 안정적인 것을 찾아 일찍이 경험해 봤기에

후회는 없습니다.

다만, 주니어들에게는 미안한 마음은 있어요.

그 언젠가 시간이 지나면 이해해줄 거라 믿어봅니다.

많은 시간 고민했던 거에 비하면 아주 빠르게 서류정리가 되었어요.

면접교섭권은 얻었지만,

코로나로 인해 추운 겨울. 한 번 만나게 다 이네요.

그렇게 아이들도 자연스럽게 잊혀 갔어요.

한 해... 두 해...

해가 지날 수록 워킹 맘이었던 그 때 그 시절은 없고,

돌싱으로 회사에서의 자리매김을 해갔어요.

말이 많은 조직인지라,

"헤어졌다더라~!"의 무궁무진한 추측만 있었고,

그 누구도 직접 묻는 이가 없었죠.

굳이 취중진담으로 물어보면 "헤어졌다"라고

당당히 이야기하곤 했어요.

아는 이들만 아는 이야기가 되어 버렸죠.

그렇게 20 대 초.

아프기 전, 일에 열중하던 [나]로 다시 돌아온 것 같았어요.

아무것도 없던 집에는 옷가지와 생필품이 자리매김하기 시작했어요.

엄마에겐 아주 천천히 말을 했던 거 같아요.

그 누구보다도 결혼을 반대했기에 이별 소식을 전하기까지

제법 오랜 시간이 걸렸어요.

엄마를 속여왔던 게 맞아요.

헤어진 후 첫 명절엔 아이들이 감기에 걸려서 오지 못했다고,

거짓말도 했으니까요.

아이들을 무척이나 이뻐하셨던 엄마, 아빠였기에

자주 데리고 가지 못했던 게 마음에 쓰였던 적도 많았어요.

거짓말을 계속 할 수 없어서,

헤어지고 첫 명절이 지나고야 이야기할 수 있었어요.

"엄마! 나 이혼했어요. 미리 말 못해서 미안해요."

이 말에 아무 말도 하지 않던 엄마.

한참이 지나서야 어디서 살고 있는지 물으셨어요.

혼자 집 구해서 살고 있다고 하니,

"알겠다" 하시곤 그 이후론 아무 말씀 없으셨어요.

무척이나 고민 끝에 이야기했는데 엄마의 반응이 제법

쏘 쿨이어서 괜스레 고민했나 싶었는데, 그 다음 방문에는

"아이들은 보고 지내냐?"

"그러기에 왜 결혼을 했냐?"

"그렇게 말릴 땐 말도 안 들어먹더니'"

"무슨 그런 말을 이렇게 늦게 하냐?"

"상의도 없이 너무 한 거 아니냐?"

등등의 무한 잔소리를 듣게 되었죠.

되돌릴 수 없는 상황이기에 그 어떤 말도 할 수 없기에

"죄송해요 엄마"

5 음절로 답하곤 되돌아왔던 기억이 나네요.

처음엔 혼자 있는 게 어색하기만 했는데,

어느 순간부터 그 시간들을 즐기게 되었어요.

책도 읽고, 자격증도 따보고, 내가 하고 싶은 버킷 리스트를

적어서 하나씩 이루어 가는 재미에 빠져 버렸어요.

어쩜 그 동안 억눌러 왔던

마음의 소리를 들어준 것인지 모르겠어요.

노래방에 가서 실컷 노래도 불러 보고,

친구들과 밤새 이야기도 해보고, 하루 종일 그림도 그려보고,

하루 종일 영화도 보고, 책도 보고, 이런 시간들을 보낸 후,

회사로 복귀하면 에너지가 마구마구 솟아났어요.

워커홀릭에서 자유인이 된 거 같았어요.

다른 세상을 살고 있는 듯했거든요.

여느 날과 다름없는 출근길.

차 안에서 바라본 하늘이 그토록 멋있게만 보였어요.

그 날로 하늘 바라기가 되었답니다.

그동안 하늘 바라볼 여유도 없이 살아온 나였던 거 같아서

괜히 감성충이 되어 눈물을 흘리고 있더라고요.

아빠 장례식 이후에,

괜스레 남의 장례식장에 가서 민망할 정도로

울거나 문 앞에서 부터 심장이 터질듯한 쿵쾅거림도 느꼈어요.

이런 걸 트라우마 라고 하지요.

앞서 말씀드렸듯, 장례식장 트라우마가 생겨버렸어요.

불편한 정도의 잦은 경조가 아닌지라,

그저 그런 가보다 하며,

'이러한 모습 또한 나의 모습이구나' 받아들였던 거 같아요.

낯선 내 모습들도 받아들이고 인정하고,

마음의 소리대로 시간을 보내면서 자연스럽게

정신과 약을 끊게 되었어요.

5년 정도 걸린 것 같아요.

매번 정신과 약을 먹으면서 '내가 꼭 낫고 야 만다'

하고 다짐했던 이유 중 하나가 회사 동료들의 인사치레가 늘

"아직도 (정신과)병원 다니니?" 였거든요.

편견에 사로잡힌 그들.

질문을 던지는 눈빛속에서 동정도 느껴졌어요.

(물론, 그런 게 아니 었겠지만요.)

무슨 용기였는지 모르겠지만,

병원을 다니는 동안 받았던 질문에 아주 당당하게!

"다니고 있어요 하지만 약은 많이 줄였고 아주 괜찮아요" 라고

말했던 거 같아요. 또 어느 날은,

"요즘 그런 질문하는 건 꼰대 아니에요?" 답하기도 했어요.

저 또한 편견으로 인해

정신과(=정신건강의학과)를 빨리 가지 못한 1 人입니다.

'내가 이토록 나약했나?'

하는 질문들도 나 자신에게 엄청 했던 거 같아요.

그래서 가야 할 이유보다 가지 않아야 할 이유를 더 많이

만들어냈어요.

결국 신체화 증상이 너무 심해져서 가게 되었어요.

정신과 입원도 해보고, 외래도 다녀보니,

다른 병원 가는 거와 같더라고요.

호르몬 변화로 인한 내 감정 컨트롤이 안될 때도 있었고,

수개월 잠을 못자기도 했었는데,

되려 대화가 더 잘 되고,

새로운 시선으로 바라볼 수 있는 힘도 생기고,

안정적인 감정 유지도 되고,

온전히 자의적으로 잠을 푹 잘 수 있는 방법도 터득하게 되었어요.

가장 중요한 건!

내 마음을 알아주는 일.

나의 모습대로 살아가는 방법에 대해

직접 겪어 낸 시간이 되었습니다.

내가 하고 싶지 않은 일을 해야 할 때가 있어요.

먹고 살아야 하니까! 가족이 있으니까!

돈을 벌어야 하니까!

이런 사유들로 내 마음을 억눌렀다면

한번쯤은,

내 모습대로 하루쯤 아니 반나절 만이라도

내 마음의 소리대로 지내 봐주세요.

그럼 지친 내 마음이 힘을 내게 되어 있습니다.

마음에도 충전이 필요하거든요.

억누르기만 했던 지난 시간들로 하여금

번 아웃, 우울, 공황장애를 마주하는 사람들이 늘어만 갑니다.

직접 겪으며 정신과(=정신건강의학과)에 대한

편견으로 치료의 시기를 놓치는 분들이

제법 많음을 알게 되었어요.

절대 여러분의 상상속의 언덕위의 하얀 집이 아닙니다!

어른이기에 감내해야 하는 것들 속에서

나를 위한 시간을 내어 주세요.

좋아하는 것.

하고 싶은 것. 들을 해주면서

쉼표를 찍어주세요.

　　　쉼표를 찍는 다는 건, 마침표가 아니기 때문에

　　　　　내 삶의 활력소가 되어 줄 겁니다.

마음도 핸드폰과 같아서 충전도 해주고

소중히 다루어 줘야만

안 고장 나고 편하게 쓸 수 있어요.

깨지고 고장나 버리면

핸드폰을 사고 새로 옮기고 번거롭게 되듯이.

내 마음도 깨지고 고장 나 버리면,

아팠던 시간만큼 치료의 시간이 걸리더라고요.

6장
어제보다 나은 오늘.

'내일은 어떻게 되겠지' 하는 생각은 바보짓이다.

오늘조차도 너무 늦은 것이다.

어제까지 일을 끝낸 사람이 현명한 것이다. [클리라]

['성공'에 대해 정의 내려 볼게요.]

회사 생활. 어느덧 18 년이라는 시간이 흘렀어요.

입사 면접 볼 때의 기억이 아직도 생생한데 말이죠.

너무 일찍 입사한 탓에 저에게 있어서

성공이란,

회사의 간부가 되는 게 성공이라 정의 내려져 있었어요.

직급이 올라가며,

간부 시험을 보게 되는 정체기의 순간이 있었답니다.

그 정체기의 시기에 간부시험을 패스하면 간부가 되는 거고,

간부시험에 불합격하면 흔히 이야기하는 만년 대리가 되는

그런 조직이었어요.

성공하고 싶었던 저였기에 간부시험에 당연히 응시했고,

두번만에 간부 시험에 합격을 했습니다.

성공의 문턱에 다다른 거 같았어요.

시험에 붙었으니 직책만 바뀌면 내가 그간 바라왔던 성공이라는

단어에 부합한 사람이 된다고 착각하며 살았죠.

착각이라고 표현하는 이유는 퇴사를 했기 때문입니다.

간부 시험에 붙었어도 직책을 부여 받기에는 많은 제약이 따랐어요.

여러 사유들이 있었겠죠.

18 년이라는 시간을 보내왔으니.

게 중엔, 블라인드로 화두가 된 것도 한 몫 했을 거고,

후배들에게 다정하지 못한 탓도 있었을 거고,

정신과 진료를 받은 이유도 배제하진 않았을 겁니다.

실제로 그만 두게 된 사유는 또 다른 시련이 다가왔어요.

이번에도 사람 문제였죠.

하지도 않은 일을 했다고 오해받는 상황이었고,

그 부분은 그간 후배들에게 다정하지 못한 탓에

기정 사실이 되어 버렸죠.

결국은 인사위원회도 가보고, 검찰청도 가보고,

아주 다양한 경험을 해보며 부당한 결과에 백기를 들었습니다.

<u>나 자신을 또 다시 아프게 하고 싶지 않았어요!</u>

<u>그 정도의 신뢰밖에 주지 못한 제 탓도 있었겠죠.</u>

하지만, 말 그대로 18년이라는 시간동안 숱하게

돈과 사람으로 시달리고, 아팠기에 더이상 나 스스로

<u>내 마음을 억누르며, 갉아먹게 하고 싶지 않았어요.</u>

퇴사를 하기 전, 오해들로 도움도 요청해보고,

나 자신과 대화도 참 많이 했던 거 같아요.

이 시기 또한, 사람을 정리하는 시기가 되기도 했고요.

결국은 인정할 수 없는 인사위원회 결과에 퇴사를 결정했습니다.

퇴사를 결정하고 후회했던 건,

어차피 그만 둘 거 마음 고생이나 덜 하고 일찍 그만 둘걸 하는

후회가 생기더라고요.

퇴사하고 두 달은 정말 놀았습니다.

그냥 아무 생각 안하고 책도 읽고, 바다도 보러 가고,

장례식장 트라우마를 없애 보고자 장례식장 알바도 해보고,

그렇게 두 달을 보내던 어느 날.

"뭐 해 먹고 살지?" "성공이란 나에게 어떤 걸까?"

"내가 할 수 있는 게 뭐가 있지?"

하고 고민에 빠진 날이 있었어요.

회사 생활에서 늘 데일리 투두 리스트 작성 했었는데,

'나'에게 대입해서 작성해 보았어요.

내가 좋아하는 것도 써보고,

내가 하고싶은 것도 써보고,

내가 할 수 있는 것도 써봤습니다.

그렇게 적다 보니 내가 원하는 성공이란 건

간부가 되는 게 아니었더라고요.

저에게 성공이란,

마음 행복과 베풂 이었더라고요.

회사 생활을 하며 오해의 순간에 닿았을 때,

"단 한사람만이라도 내 이야기를 들어줬더라면...?"

우울증과 공황장애를 겪을 때,

"단 한 사람만이라도

정신과 가도 괜찮다고 말해 줬더라면...?"

하는 생각이 들더라고요.

왜 나에겐 늘 그 단 한 사람이 없었을까?

회사 생활을 하면서 일 하는 게 즐거웠습니다.

하지만, 오해를 받거나 사람과의 문제가 생겼을 땐,

일을 제대로 수행해 내지 못했었어요.

퇴사를 하고나서 바라보니,

"마음이 행복해야 성장하고 성공할 수 있다."

라는 생각이 들더라고요.

마음이 불행하거나 불편할 땐 업무에 집중을 하지도 못했고,

그로 인해 좋지 않은 결과들이 나타났거든요.

일상 생활에서도 마음이 불편하거나 불행 할 땐,

늘 무기력 해지고 우울해지고, 그 누구와의 만남도 불편했고요.

그래서 내가 필요했던 '그 한 사람'이 되어 보자의 마음으로

해피 제이가 기획되었습니다.

블로그로 제가 불편했던 정신과 이야기들을 적어 냈고,

함께 공유하면 좋을 정보들도 나누었습니다.

우리의 일상에서 흔히 일어날 수 있는 이야기들을

제 경험담을 넣어서 작성했어요.

또, 나눔을 좋아하기에 인스타그램으로 쉽게 읽을 수 있는

마음에 행복을 주는 책을 소개 했습니다.

그렇게 마음행복을 전하는 **해피제이**는

2023 년 2 월 기획되었습니다. 너무 행복 했습니다.

해피제이가 마음행복을 전하고, 성공 루틴 팀을 꾸리면서

마음이 행복해야 성장하고 성공할 수 있는 사례를 만드는 팀을

만들게 되었던 것이고,

그 결과 지금 많은 분들이 좋은 성과를 얻고 있습니다.

저의 블로그 이야기에 정신과와 관련된 이야기로 문의 주시는

분들이 많아져서 네이버 톡톡을 개설했고,

병원비와 상담 센터의 비용이 부담되는 분들을 위해

천원 상담사로도 활동할 수 있었습니다.

이 비용은 전액 서울 SOS 어린이 마을로 기부했고요.

아직 제가 원하는 성공까지 다 다르기엔 많이 부족하지만,

내가 좋아하는 일을 찾았고,

내가 하고 싶은 일을 하고 있고,

내가 할 수 있는 일로 베풂을 하고 있기에

회사 다닐 때 보다 더욱이 마음이 행복합니다.

물론, '무슨 그런 일을 하냐?' 하시는 분들도 있었습니다.

하지만,

제가 강연장에서, 여러 커뮤니티에서 저의 스토리와 함께

마음 행복에 대해 이야기를 해드리면,

무언가 다시 시작할 희망이 생긴다고,

"나도 할 수 있을 것 같다" 라고 말씀 주실 때 마다

힘이 불끈 솟아오르네요.

맞습니다!

여러분 모두는 무한한 가능성을 가지고 있고,

성공이란 정답이 있는 것이 아니기에

내가 가지고 있는 신념을 가지고 목표를 향해 시도만 한다면,

성공에 누구든지 다다를 수 있습니다.

남의 성공담이 아닌, 나의 성공담으로 이야기할 수 있습니다.

물론, 그 과정 중에 어렵고 힘든 일은 늘 있을 겁니다.

하지만 절대 어렵고 힘든 일만 있지는 않습니다.

어렵고 힘든 일 이후에는 반드시 좋은 일이 오기 마련이고,

잃은 것만 같았던 사람과의 관계 또한 나쁜 사람은 가고,

좋은 사람이 오기 마련이더라고요.

지나보니 그렇습니다.

한 때는,

왜 이리 세상이 나에게만 혹독한가?

하는 생각을 해봤는데,

이렇게 쓰임 받기 위해서

남들보다 조금 일찍 고통의 시간이 왔다 갔나 봅니다.

지난 시간 너무 괴롭고 힘들었는데,

뒤돌아보니

나의 시간은 결코 의미 없는 시간이 아니었습니다.

내가 지금 너무 더딘 것만 같고,

제자리 걸음만 하는 것 같나요?

<u>나의 시간은 꼭 옵니다.</u>

그러니, 쉼표를 주면서 내가 목표한 것을 향해

중.꺽.마(=중요한 건 꺾이지 않는 마음)의 마음으로

<u>못할 이유 말고,</u>

<u>해야 할 이유를 생각하면서</u>

<u>하루를 더 값지게,</u>

<u>어제보다 나은 오늘을 살아 내셨으면 좋겠습니다.</u>

[무엇이든 할 수 있습니다.]

행복을 갈망하던 때가 있었습니다.

나에게만 행복이 오지 않는 거 같았거든요.

똑같이 일해도 늘 칭찬은 남이 들었고,

아픔도 나에게만 찾아오는 것 같았고,

나만 잠 못 자는 거 같아서 괴롭기도 하고,

늘 돈에 혹은 사람에 시달리는 것 같아서 죽을까 생각도 해봤습니다.

죽는 것도 쉬운 일은 아니더라고요.

누가 그러더라고요.

"죽을 힘을 다해서 살아내 보라고...!"

욕을 한 바가지 해줬습니다.

"네가 나에 대해 뭘 알아? 흥! 칫! 뿡!"

퇴사를 하고 불현듯 든 생각이 내가

'정신건강의학과 인식변화에 동참해 보고 싶다.'

하고 생각이 들었어요.

제가 처음 정신과를 선뜻 가지 못했던 이유가 편견도 있었지만,

초록창을 검색했을 때,

병원, 의사 선생님 소개들로 가득했기에

정말 내가 원하고 필요한 정보를 받을 수 없었거든요.

그래서 블로그로 내가 궁금했던 것들을 그대로 적어 냈던 거였고,

그 이야기들은 결국 '편견은 편견이다.' 라는 결론을 냈습니다.

제가 직접 경험한 일을 기록한 것이니까요.

그렇게 자연스럽게

블로그를 통해 정신건강의학과 인식변화에 동참하게 되었습니다.

각종 상담사 자격증을 보유한 덕분에 온라인 커뮤니티를 통하여

상담사 활동도 하고, 온, 오프라인 강연도 했습니다.

적어도 1,000분 이상을 만나게 되었던 거 같아요.

블로그 포스팅을 통해 정신과 이야기, 삶의 시간들, 시간관리,

함께 공유하기 좋은 영상, 정신 건강 복지 센터 소개하며,

제가 하고 싶은 일에 한 발 더 다가서게 되었습니다.

포스팅을 보고 연락 주신 분 중,

독일 Alice Agneskirchner 감독님과 만남을 갖게 되어,

'자살예방'에 대한 영화 촬영도 하게 되었습니다.

온, 오프라인 강연들로 인해, 강연 문의도 다양하게 주시더라고요.

군부대 강연도 초대받아 다녀오게 되었답니다.

블로그를 시작하시는 분들에게 컨설팅을 해드렸는데,

자연스레 수익이 발생되기 시작했습니다.

물론, 루틴팀을 통해서도 수익화가 되었고요.

퇴사 후 뭐해 먹고 살지? 의 그 걱정은

현생 살이에 치여 일에만 집중하고,

못하는 것에만 집중했기에,

할 수 있는 게 없다고만 생각 했던 거 같습니다.

우리는 흔히, 학력, 학벌, 전공, 등을 생각 합니다.

하지만, 꼭 좋은 학력, 좋은 학벌이 아니어도

내가 전공한 분야가 아니더라도

내가 시도만 한다면,

원하는 그 분야의 전문가가 될 수 있습니다.

제가 좋아하는 김창옥 교수님도

강연자이시지만 전공은 성악이시잖아요.

내가 원하는 분야에 시간을 할애하고,

그것을 위해 연구하고 공부하고 있다면,

충분히! 누구나! 전문가가 될 수 있다고 생각합니다.

또한,

머릿속으로 생각만 한 것들을 시도하고, 실천한다면,

분명, 여러분도 여러분이 원하는 모습대로

삶의 시간을 보낼 수 있을 거라 확신합니다.

"모든 사람은 천재다.

하지만 물고기들을 나무 타기 실력으로

평가한다면,

물고기는 평생 자신이 형편없다고 믿으며 살아갈 것이다"

- 아인슈타인-

이 책 서두에 언급했던

['처음' 혹은 ' 시작' 이라는 단어는 설레 이기도 하지만,

결과를 알 수 없기에 두렵기도 해요

두려움이라는 느낌을 받을 때 마다

'처음' 혹은 '시작'에 주춤해지게도 하고요.

어쩌면 지난 시간 경험했던 실패의 순간때문에,

두려움이라는 감정이 생겨서 주춤하게 되는 건

아닐까 싶기도 해요.]

아무것도 할 수 없다고 지난 과거의 경험들로

처음 혹은 시작이라는 단어에 두려워하지 않으셨음 좋겠습니다.

우리는 과거를 살아 내는 게 아니고, 미래를 살아내야 하기에,

어제의 내 모습이 못나 보였다 하더라도,

어제를 생각하며 더 나은 오늘을 살아내고,

내일을 살아내며 성장하면 됩니다.

지난 시간에 얽매여 나는 아무것도 못해!

하고 좌절하거나 단정짓지 말고, 온전히 나에게 시간을 내어 주며,

내가 할 수 있는 것에 대해 기록해 보셨음 좋겠습니다.

돈이 들지 않더라도 시간과 노력만으로도

충분히 할 수 있는 것들이 많이 있습니다.

온라인에서 누가 그러더고요.

단군이래 제일 돈 벌기 쉬운 시대라고…

다만, 아직 내가 잘 하는 것을 못 찾았을 뿐이고.

나의 시간이 아직 오직 않았을 뿐입니다.

반드시 나와의 대화,

내 마음의 소리를 들어주시면서,

내가 할 수 있는 일을 찾아 노력하신다면

반드시! 여러분이 원하는 모습으로

살아가고 있는 마음 행복한 '나'의 모습을

보고 느끼게 될 겁니다.

[살면서 꼭 염두해야 할 것들]

1. 사람들과 비교하지 말자.

2. 너무 많은 걱정하지 말자.

3. 모든 일이 뜻대로 될 수는 없다.

4. 말을 아끼고 침묵을 자주 하자.

5. 번아웃이 올 정도로 힘들다면 정말 하루쯤은
   아무것도 안 해도 된다.

6. 사람들의 호의를 조심하자.

7. 사람들은 필요할 때만 누군가를 찾는다.

8. 요구할 건 당당히 요구하자.

9. 내가 옳다고 생각하는 일이
대부분 틀릴 수도 있다는 것을 명심하자.

10. 과거는 과거일 뿐, 그 순간에 얽매이지 말자.

11. 사람은 누구나 다 실수한다. 실수해도 괜찮다.

12. 하루에 한 번 정도는 나를 칭찬해주자.

13. 계획한 일이 틀어져도 당황하지 말자.

14. 사람들은 딱히 나한 테 관심이 없다.

15. 스트레스 받을 땐 운동을 하자.

16. 부정적인 생각보단 긍정적인 생각을 하자.

17. 나를 오해하는 사람들에게 연연하지 말자.

18. 삶은 언제나 어려움의 연속인 걸 인정하자.

19. 힘든 일이 지나면 좋은 일도 생긴다는 것을 기억하자.

20. 내 감정과 기분에 솔직해지자.

21. 오늘이 내 생에 가장 젊은 날인 걸 기억하자.

[기다림의 끝.]

'나에겐 봄이 언제 오는 거지?'

대체 나의 삶에 봄이 오긴 오나?

하고 생각 하던 때가 있습니다.

이제 좀 살만 하다 하고 한 숨 돌리면 새로운 일이 생기고,

또 일을 처리하고 살만 하다 싶으면 또 다른 일이 생기고...

어쩌면 삶이라는 건 4 계절과 같다는 생각이 듭니다.

뜨거운 여름 날처럼, 힘든 시기가 지나고,

서늘해진 가을날처럼 잠시 잠잠하다가,

추운 겨울 날처럼 또 다시 힘든 시기가 오고,

따스한 봄을 맞이하는 것처럼 무한 반복되는 것이 아닌가 싶어요.

봄만 있을 수는 없잖아요.

그러니, 기다림의 끝은 반드시 옵니다.

머릿속으로 생각한 것들을 말로는 누구든지 설명할 수 있습니다.

하지만 시도하고, 실천하는 사람은 많지 않죠?

누구나 성공적인 삶. 행복한 삶을 살 수 있습니다.

다만 누가 얼만큼 현실화 시키냐의 문제가 아닐까요?

'나'의 꿈을 선명하게 목표로 설정하고,

그 목표를 이룰 수 있는 구체적인 행동을 실행하는 것.

그것이 성공에 다다르는

우리가 그토록 기다리는

성공의 종착지가 아닐까 생각해 봅니다.

저는 5년후에 양재진 선생님의 마인드카페처럼

마음이 힘든 분들을 위한 곳을 개원하려 합니다.

24 시간 정신건강의학과를

찾으시는 모든 분들을 위한 응급실 역할도 할 수 있는 곳이요.

한국에는 아직 정신건강의학과 전용 응급실이 거의 없습니다.

절실히 필요하다고 생각합니다.

물론, 많은 노력을 해야 겠죠.

긴장된 근육도 풀어주며 운동도 하며,

편안하게 상담도 받을 수 있고,

누구나 언제나 편안하게 방문할 수 있는 곳.

나를 알기 위한 시간을 보낼 수 있는 제일 편안한 공간.

이 목표를 세우게 된 것은

해피 제이가 기획 되면서부터 입니다.

해피제이 = 해피마인드제이 = 행복한 마음 정희

이렇게 만들어진 이름입니다.

20 대. 30 대 그리고 40 대 초반에 와 보니,

우리는 너무 긴장된 상태로 살아가고,

나의 마음을 들여다볼 새도 없이 살아내고 있더라고요.

정신건강의학과를 찾는 환자들이

갈 수 있는 응급실도 여의치 않아서,

'어쩌면 나날이 우울증 환자가 늘어가고 있는 게 아닐까?'

생각도 해 봅니다.

저 또한 공황장애로 응급실을 가보며 깨달은 바가 많습니다.

아픔을 겪어내면서도 늘 같은 실수를 반복하기도 합니다.

그리고 아프지 않길 바라죠.

하지만 반드시 끝은 있다는 겁니다.

막연함에 대해 아주 먼 이야기 일 것 같지만,

반드시 우리의 모든 일에는 끝이 있기 마련이기에.

목표를 갖아서 꿈을 실현하는 일이든지,

혹은 나쁜 일들이든지 간에 기다림의 끝은 있습니다.

그 끝을 기다림에 있어서 불안도 찾아 올테고,

고난도 찾아 올테지만, 어제보다 나은 오늘의 나의 선택에

응원해 주시고 지지해 주는 건

본인이 제일 먼저였으면 좋겠습니다.

불안, 고난도.

어쩌면 나 스스로가 만들어낸 것일지도 모릅니다.

그렇다면

그 해결방법은 내가 더욱 잘 알고 있을 겁니다.

회사일에 혹은 가정에 치여 나에게 너무 혹독하게 하지 말고,

나 스스로 어제보다 나은 오늘을 살아 냈음에 칭찬해 주시고,

선물도 해주시면서,

어제보다 나은 오늘.

오늘보다 나은 내일을 위해.

멋지게 살아 내 주셨으면 좋겠습니다.

같은 실수가 반복되면 그건 습관이 된다고 하잖아요.

나 자신을 옭아매고, 사람에게 상처받고 쓰러지고, 무너지고

이러한 것들도 습관이 됩니다.

그러니 나에게 불필요한 사람이라면 끊어 내기도 하시고,

내 마음의 행복을 위해서, 긍정 확언하시면서,

여러분이 목표하시는 꿈을 향해 시도하고 실천하며,

기다림의 끝을 찾아 내셨으면 좋겠습니다.

알 수 없는 결과에

'처음' 이라는 단어에 주춤하지 말고,

시도하고, 실천해 보셨으면 좋겠습니다.

그 결과가 결코 내가 원했던 바가 아니더라도

의미 없는 시간은 아닐테니까요!

많은 경험을 해 보셨음 좋겠습니다. 저 또한,

20 대, 30 대의 아픔의 시간들을 보내며 느껴왔던 것들을

여러분과 함께 나누며, 저의 목표를 향해

더 열심히 해피제이의 봄날을 만들어 보도록 하겠습니다.

여러분의 어제보다 나은 오늘을.

그리고 내일을 응원합니다.

어른인 척, 괜찮은 척, 하지 말고.

아프면 아프다 표현하고,

행복하면 행복하다고 표현하면서

그렇게 이 시기를 함께 하는 사람들과

좋은 추억을 만드셨으면 좋겠습니다.

나의 생각은 뇌를 지배하고 있기 때문에

긍정은 긍정의 모습의 나를 만들고,

부정은 부정의 모습의 나를 만들어 냅니다.

제가 꿈꿔왔던 여유 있고 안정적인 삶은

늘 저와 함께 했습니다.

하지만, 알아채지 못했습니다.

그저 지난 시간에 얽매여

과거만 바라봤기 때문입니다.

앞으로의 시간은 제가 꿈꿨던... 늘 옆에 있었던

여유 있는 안정적인 삶을 살아 내 보려 합니다.

해피제이와 항상 함께 해 주실꺼죠?

저도 여러분과 항상 함께 하겠습니다.

부록 1] 내가 좋아하는 것들을 적어 보세요.

※ 포인트는 내가 혼자 할 수 있는 것이어야 합니다. (30 가지)

※ 돈이 들지 않아도 시간을 많이 내지 않아도 할 수 있는 것들이

  많이 있습니다.

※ 과거에 좋아했던 것들도 상관없습니다.

EX) 드라이브하기, 서점가서 하루 종일 책 읽기, 그림 그리기

  노래 듣기, 노래 부르기, 자전거 타기, 산책하기, 캔 맥 마시기 등

☆ 매일 내가 마음에 드는 한 가지를 선택해서

  하루를 잘 살아내 준 나에게 선물로 좋아하는 것을 해주세요.

  내 마음의 소리도 들어주시구요.

부록 2] 내가 하고 싶은 것들을 적어 보세요.

※ 포인트는 내가 혼자 할 수 있는 것이어야 합니다. (30 가지)

※ 비용과 시간이 들더라도 하고 싶은 것 이어도 좋습니다.

※ 과거에 하고 싶었던 것들도 상관없습니다.

이 또한 혼자 하기입니다.

EX) 패러글라이딩 해보기, 치앙마이 한달 살이 해보기,

소믈리에 자격증 따기 소모임 만들어서 운영해 보기, 출간해보기,

☆ 내가 하고 싶은 일을 한 가지씩 해주면서 삶의 재미를 느껴보세요.

생각보다 나는 할 수 있는 게 많은 귀한 능력을 가진 사람입니다.

나의 마음에 설레임을 선물해 주세요.

여행을 계획하고 타겟팅을 하고 비행기를 타는 그 순간까지

너무 마음이 즐겁잖아요. 그런 역활을 해 줄 겁니다.

부록 3] 내가 하고 싶은 것들 중 가장 먼저 하고 싶은 5 가지를

　　　　정해 보시고 그것에 대해 구체화해보세요.

※ 돈과 비용이 들더라도 하고 싶은 것 이어야 합니다.

※ 구체화 시에는 실현 가능성이 있는 아주 구체적인 것이어야 합니다.

EX) 패러글라이딩 해보기 – 1. 날짜 정하기, 2. 같이 갈 친구 선택하기, 3. 예약하기,

　4. 알바로 돈 모으기, 5. 갔다가 근처 카페 들러 힐링 하기

※꼭 혼자 해야 하는 이유

: 나만의 시간을 갖으면서 나와의 시간을 보낼 줄 알아야 합니다.

그래야 타인과의 관계가 더욱 여유로워집니다.

타인이 함께 하게 되면 시간적, 공간적, 제약이 발생돼서 집중도가 떨어집니다.

부록을

모두 작성하신 분들은,

이미 시도하신 것이기에

실행만 하신다면,

분명 더욱 행복한 마음으로 살아가실 수 있으리라

확신합니다!

여러분의 성장과 성공을 늘 응원하겠습니다.

EPILOGUE

어린 어른으로 살아오면서 부정하고 싶었던

순간들이 참 많았습니다.

세상이 나한테만 혹독하다고....

분명 하나님은 이겨낼 시험만 주신다는데,

난 죽을 거 같다고 수 없이 원망도 많이 했습니다.

이렇게 사느니 차라리 죽어 버리고 싶다는 말도

그리고 실행도 해봤습니다.

결국 실패 했지만요.

제가 원했던 건 그저,

어제보다 나은 오늘을 살아 내는 것.

그 희망으로 하루하루 버텨냈던 것 같습니다.

이 글을 쓰면서 지난 시간들이 주마등처럼 지나가

주춤 하고 글을 쓰지 못한 날도 있습니다.

왠지 다시 마주하고 싶지 않은 시간들을 마주하고 있는 것 같아서요.

속상한 마음에 눈물 훔치던 날도 있습니다.

다시 생각해도 너무 억울하기만 했습니다.

그래서 글 쓰는 것을 포기할까 하는 순간들도 있었습니다.

하지만,

늘 응원해 주시던 아빠 교수님.

늘 언니 걱정해 주는 예쁜 내 동생 성희.

보고 싶은 키다리 쌤.

희망과 긍정 바이러스 리키 쌤.

멀리서 늘 응원해 주시는 양재진 선생님.

암 치료 열심히 받으며 다시 살아낼 힘을 준 미애 언니.

굳건히 초록 배 채널을 지켜준 초록 배 선장님 연식이.

제 글은 힘이 있다고 늘 으쌰 해주시는 투리브 작가님.

정신건강의학과 인식변화 동참함에

큰 힘 실어 주시는 말이 많은 정신과의사님.

든든한 해피제이 지킴이 샤론 약사님.

언제나 늘 함께 해주고 지지해주는 노팸들(승준, 성민, 솔지).

예쁜 해피제이를 만들어 주시고, 믿어 주시는 수진원장님.

걱정해주시고, 늘 말 한마디 더 건내 주시던 5B 병동 의사 선생님들.

그리고 병동 간호사님들.

항상 환하게 반겨 주시고 챙겨 주시는

정신건강의학과 외래 간호사님들.

은보칠 해 주신 오은환 작가님.

허니블링님, 왕눈이 은미, 두 아이 엄마 수진

우리 루틴 팀 크루님들, 컨설팅팀, 인지 치료자분들.

그리고 사랑하는 우리 아빠, 엄마.

마지막으로 이 책이 세상을 나올 수 있도록 도와주신 리더인님.

포기하고 싶을 때, 놓지 않을 수 있도록 해 주셔서 감사합니다.

사는 게 생각처럼 계획대로 되지 않고

개똥을 밟는 순간들도 있습니다.

하지만 **그런 힘든 시기가 지나면**

반드시 좋은 날이 온다는 절대 불변의 법칙을

믿어 보려 합니다.

왜냐면,

지난 시간 늘 그래왔던 것처럼 앞으로도 그럴테니까요.

삶이란 도돌이표가 될테니까요.

하고 싶은 일을 하면서,

마음 행복을 전하는 **해피제이**가 되어,

더 자주 많이 찾아 뵙도록 하겠습니다.

여러분.

어제보다 나은 오늘을 살아 내시느라 고생하셨습니다.

내일은 오늘 보다 더 나은 시간을 보내시려고,

무던히 애쓰실 테지만,

절대! 네버!

나의 마음의 소리를 외면하지 마시고,

꼭 시간을 내셔서 나를 있는 그대로 인정해 주시고,

내 모습. 내 마음. 그대로!

행해 주시는 시간을 가져 주셨으면 좋겠습니다.

마음의 배터리도 충전시켜 주셔야 (쉼표를 주셔야)

더 나은 내일을 맞이할 수 있습니다.

함께 행복해져요 우리♡

어제보다 나은 오늘을 살고 싶었어요

발 행 | 2023 년 12 월 11 일

지은이 | 해피제이 (신정희)

기획·편집 | 작가의 탄생 1 기

펴낸곳 | 리더인컴퍼니

가 격 | 18,000 원

출판등록 | 2023-000016 호

책 출간 문의 | leedain.leader.in@gmail.com

저자에게 문의 | 인스타그램: @happy_mind_j

ISBN | 979-11-985287-6-6